全国

山の美術館と博物館

zenkoku yamano bijyutsukan to hakubutsukan

GB

はじめに

山が好き。自然が好き。
そこには、いろいろな楽しみがあります。
山に登ったり、
自然の中に分け入ったりして
アクティブにすごすこと。
山を眺めたり、自然の空気を
感じたりしてのんびりすること。
山や自然の存在に圧倒されながら、
登山家や冒険家は山の頂を目指し、
画家は山の姿を描きます。
その他にも、写真を撮ったり、
文章で描写したり。

人々は山や自然と
寄り添って暮らしながら
山を敬い、山を愛でてきました。
本書では、そんな人々の営みに
寄り添う施設を紹介しています。

山の行き帰りに
立ち寄ることができる施設、
絶景を眺めながら
思索できる施設もいろいろ。
山に関する作品や資料を
鑑賞したり紐解いたりすることで
山とのふれあいを違う面から
楽しむことができるでしょう。
山や自然が好きな人たちとの
心弾む交流が生まれるかもしれません。
この一冊が、山をもっと満喫するための
ヒントになりますように。

北アルプス山脈

INDEX

chapter 3

人にフォーカスした施設

People-focused facilities

column

〈注記〉

・本書に掲載されているデータは、2021年7月現在のものです。営業時間、休館日などは気候や社会情勢などから急遽、予告なく変更になる場合があります。来訪の際は当日の状況をお確かめください。

・各ページのデータ項目にある🚃は公共交通機関でのアクセス方法、🚗は車でのアクセス方法です。いずれも代表的と思われる交通手段を記したもので、各所要時間は目安です。

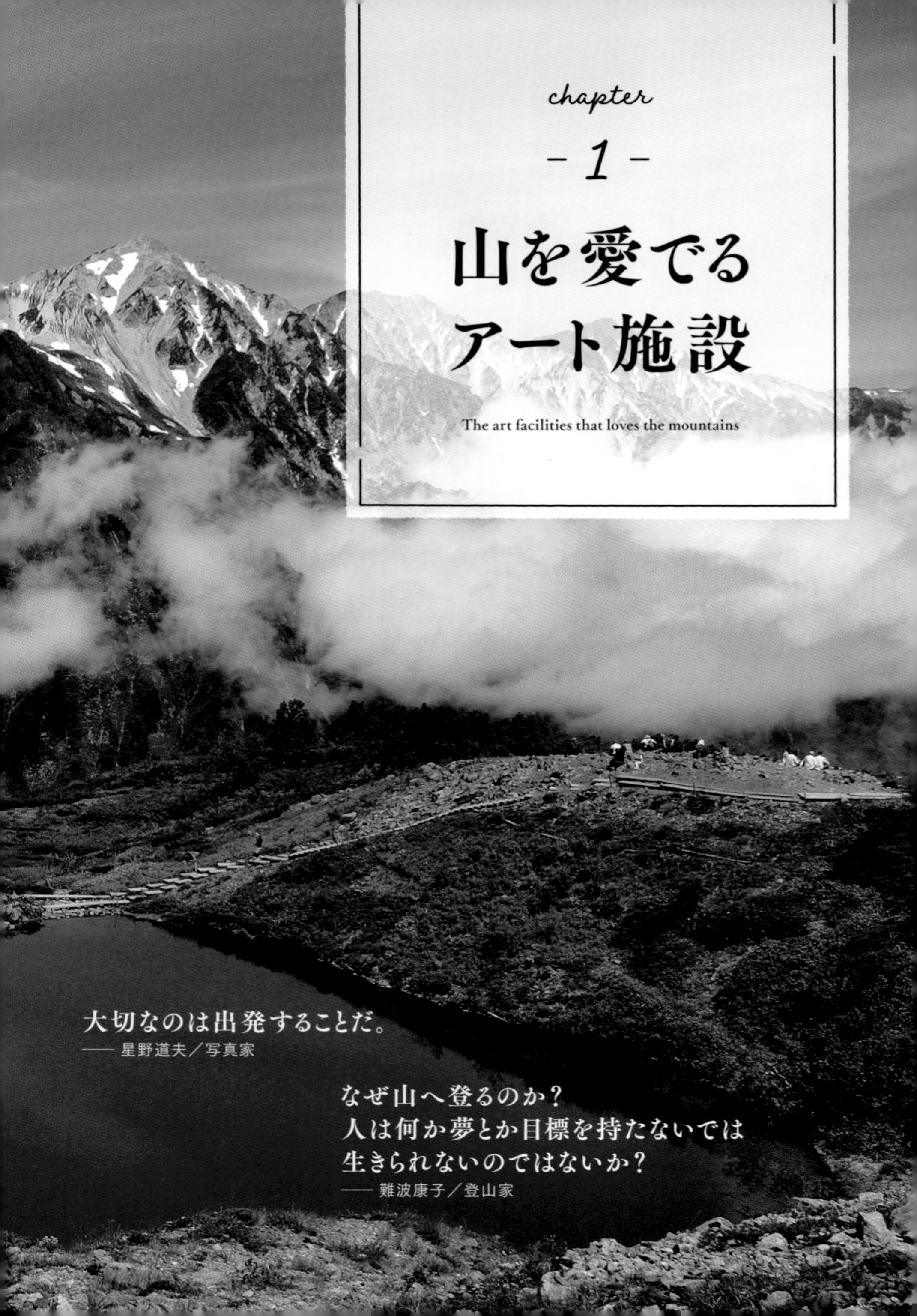

chapter

-1-

山を愛でるアート施設

The art facilities that loves the mountains

大切なのは出発することだ。
―― 星野道夫／写真家

なぜ山へ登るのか？
人は何か夢とか目標を持たないでは
生きられないのではないか？
―― 難波康子／登山家

下りのことを考えていては成功しない。
―― 森田 勝／登山家
物を欲しいと思わぬ我が心の充実は登山だ。
―― 東浦奈良男／登山家

白馬三山と八方池

01
hokkaido
北海道

1 相原求一朗美術館は、毎年展示のテーマが変わります。
2 季節の素材でつくる家庭料理が人気のレストランポロシリ。

十勝の大自然の中でアート、食事、散策も

中札内美術村《ナカサツナイビジュツムラ》

JR帯広駅から車で約40分。標高2000m級の山々が連なる日高山脈や、十《と》勝幌《かちぽろ》尻岳《しりだけ》（ポロシリ）を一望できる雄大なロケーションの中にある中札内美術村。柏林に囲まれた14万5000㎡の広大な自然の中に美術館や彫刻が点在する様は、まさにアートの森のよう。この美術村のなかに、北海道の名峰である羊《よう》蹄山《ていざん》、旭岳《あさひだけ》、十《と》勝岳《かちだけ》など「北の十名山」を描いた作品が常設展示されている相《あい》原《はら》求《きゅう》一《いち》朗《ろう》美術館があります。

北海道の冬の詩情を描く洋画家の第一人者といわれる相原

北の大地美術館のピクチャーウィンドは、それ自体が特別なアート作品のよう。

3 季節の彩りが美しい美術村庭園。 4 相原求一朗美術館。他多数のアート施設が点在しています。

求一朗は、埼玉県川越市の生まれ。戦時中、兵役により多感な青春期を満州の広大で荒涼とした大地の中ですごしました。洋画家猪熊《いのくま》弦一郎《げんいちろう》に師事し、画家としての道を歩みはじめたのは戦後になってから。

43歳の頃、写生旅行で北海道を訪れた際、原野に自身の原風景ともいうべき満州の情景が蘇り、才能が覚醒。以降、厳しい北海道の大自然をモノクロームの色調で描き続けました。同美術館には、亡くなる4ヵ月前に描き上げ絶筆となった〈天と地と〉も常設されています。

かつて銭湯として使われていた当時の面影を残す趣ある洋風建物。ノスタルジックな静かな空間で、ゆったりと芸術に親しむことができます。

works

代表的連作〈北の十名山〉

1961年に出かけた北海道旅行は、相原求一朗にとって、創作活動の方向性を定める転機となりました。連作〈北の十名山〉は羊蹄山、旭岳、利尻岳、雄阿寒岳、斜里岳、羅臼岳、トムラウシ山、雌阿寒岳、十勝幌尻岳、十勝岳の十山。北海道の六花亭製菓（株）の依頼で70代に制作され、相原求一朗美術館に常設展示されています。

相原求一朗〈幸福駅二月一日〉。モノクロの色調が自然の厳しさ、静謐さを感じさせます。

DATA

〒河西郡中札内村栄東5線 ☎0155-68-3003 www.rokkatei.co.jp 各美術館10:00〜15:00、レストラン11:00〜15:00（LO 14:00） 休 開館期間は4月末から10月中旬の土・日・祝、GWと夏季（7/31〜8/15）のみ ¥任意による寄附 JR帯広駅からタクシー40分 帯広広尾自動車道中札内ICから5分

親しみある菓子包装紙の原点がここに

六花の森《ロッカノモリ》

1 クロアチアの古民家を移築した素朴な坂本直行記念館。
2 北海道を代表する花、ハマナシの作品。

10万㎡の広大な大地に森があり、川が流れ、四季折々にいろいろな花が咲く六花の森。敷地内にはクロアチアの古民家を移築したギャラリーが点在し、坂本直行ゆかりの作品が数多く展示されています。

地元では「ちょっこうさん」の呼び名で親しまれている坂《さか》本直行《もとなおゆき》ですが、一般的になじみがあるのは老舗菓子メーカー・六花亭の包装紙のデザインでしょう。地元に咲く「十勝六花」の草花をちりばめた花柄は彼のデザインです。

その他にも自然をモチーフとした鮮やかな色彩の風景画

春、雪解け水の清流のほとりは、エゾリュウキンカの花で埋めつくされます。

3 四季折々の山野草が咲く園内。 4 花柄包装紙館にはおなじみの包装紙の原画が。

や植物画を数多く生み出し、山の雑誌『アルプ』（創文社）にも、画家として参加していました。坂本直行の山野草などの植物画の作品は「坂本直行記念館」、有名な包装紙の花柄の原画7点は「花柄包装紙館」で詳しく見ることができます。

彼はまた、高校時代から山のスケッチを描きはじめ、北海道帝国大学時代には山岳部に在籍していた山岳画家でもあります。若かりし頃の開拓時代や山登りの際、いつも携えていたスケッチブックは「直行デッサン館」に、油彩・水彩で描いた山々の風景画は「直行山岳館」に展示。絶筆となった未完の〈原野の柏林と日高山脈〉は「直行絶筆館」で公開されています。

human

坂本龍馬ゆかりの家柄

1906年、北海道釧路市に生まれた坂本直行。開拓民として北海道に入った父・坂本弥太郎は坂本龍馬の家を継いだ郷士坂本家の七代目当主にあたる家柄です。1927年に北大を卒業後、温室園芸、農場経営、牧場経営に携わり、1959年頃より画業に専念。1960年、旅行で出向いたヒマラヤ、カナダの風景も描いています。

素朴な書き文字もいい味わい。思わず六花亭のお菓子を食べたくなります。

DATA

河西郡中札内村常盤西3線 249-6 0155-63-1000 www.rokkatei.co.jp 10:00〜16:00、ショップ10:30〜16:00、カフェ11:00〜16:00 休 開館期間は4月末から10月中旬 ¥ 大人1,000円、小・中学生500円 JR帯広駅からタクシー40分 帯広広尾自動車道中札内ICから7分

03
hokkaido
北海道

人生を変えた雑誌『アルプ』、読者から美術館長へ

北のアルプ美術館《キタノアルプビジュツカン》

1 展示室にびっしりの資料は、アルプファンには懐かしいものばかり。
2 東京・小金井市から移築した串田孫一の書斎。

北海道知床半島の北側、網走管内斜里町《あばしりかんないしゃりちょう》にある小さな私設美術館。ここには、1958年から25年間にわたり発行された山の文芸誌『アルプ』の全号はじめ、「アルプ作家」と呼ばれた執筆陣の生原稿、原画作品、著書、関連資料が展示されています。

300号で終刊となった『アルプ』の責任編集者を務めたのは、哲学者の串田孫一《くしだまごいち》。執筆陣には詩人の尾崎喜八《おざききはち》、版画家の畦地梅太郎《あぜちうめたろう》、作家の深《ふか》田《た》久弥《きゅうや》、写真家の内田耕作《うちだこうさく》など640名を超える多彩な人々が名を連ねています。山

静かな住宅地に山荘のように佇む美術館。もとは社員寮だった建物を、アルプのイメージに合わせて改装しました。

3 4 25周年記念に公開された斎藤俊夫山岳文庫。元教師、斎藤俊夫氏の山岳図書を譲り受けました。

を思索の場とする自然讃歌の随想や詩などが掲載されており、山岳を愛する多くの読者の支持を集めていました。

この誌面に宿った世界観を後世に残したいと、山崎 猛氏が私財を投じて創設したのが「北のアルプ美術館」です。開館20周年に併せて、串田孫一の仕事部屋（書斎・居間）を復元。編集者や友人などとルンペンストーブを囲み語り合った居間や、500冊以上の著書を送り出した書斎を公開。2021年より一般社団法人として運営されています。

美術館の庭では山崎氏が植栽したシラカバ林に緑の草原の爽やかな風がそよぎます。「なぜか癒される美術館」といわれるのも納得です。

human

創立者は「アルプ」の愛読者

元館長の山崎 猛氏は、斜里町内の書店で働くなかで串田孫一の『若き日の山』に出会いました。『アルプ』を定期購読するうちに、知床の山並みや流氷の美しさに惹かれ、写真を撮影。送った写真が『アルプ』に掲載され、編集室とつながることに。写真家としても活躍し、『日本の灯台』（ぎょうせい）など写真集を出版しています。

串田孫一の居間。写真をもとに、細部までこだわって再現しています。

DATA

斜里郡斜里町朝日町11-2 0152-23-4000 alp-museum.org 10:00～17:00（6月～10月）、10:00～16:00（11月～5月） 休 月曜日・火曜日、毎年12月から翌年2月末頃まで休館 ¥ 無料 JR知床斜里駅から徒歩18分 旭川愛別道路比布JCTから4時間

自然讃歌のマンガをきっかけにマンガ文化を識る

横手市増田まんが美術館《ヨコテシマスダマンガビジュツカン》

1 心に響くマンガの中の言葉を集めた「名台詞ロード」。
2 マンガという文化への理解を深めるためのマンガ文化展示室。

今や日本が世界に誇る文化のひとつとなったマンガ。秋田県横手市にある「横手市増田まんが美術館」は、そんなマンガの原画をテーマとした美術館です。初代名誉館長は矢《や》口《ぐち》高《たか》雄《お》。横手市増田町出身である氏の協力を得るなどして、1995年、町営美術館として開館しました。

矢口高雄の代表作のひとつに、釣りブームを巻き起こした『釣りキチ三平』があります。この作品は横手市の山村で育った、子ども時代の生活が題材になっています。同作品の完結後、自身の半生を描

美術館の象徴であり、マンガに夢中になった子どもの頃を思い起こさせる心象風景として設けられたブナの大樹を取り囲むように2階に続くスロープには、名作、名シーンの原画が展示されています。

3 マンガから飛び出たような「ウォォォーソファー」。
4 趣ある街並みの伝統と共にマンガという新しい日本文化を継承しています。

いた『オーイ!! やまびこ』の連載や『ボクの学校は山と川』のエッセイなども自然が題材。豊かな自然に育まれた横手市の生活と強く結びつき、自然讃歌にあふれています。

　同美術館ではマンガ原画のアーカイブに取り組みながら、単行本や原画を展示するほか、国内外の著名なマンガ家の原画も常設展示しています。さいとう・たかを、浦沢《うらさわ》直樹《なおき》の全原画を含め、原画収蔵数は40万枚以上。直筆原画の生々しさと迫力、マンガという文化を築き上げてきた多くの作家たちの息づかいを感じることができます。

　2020年、矢口高雄の逝去に伴い、2代目名誉館長には、犬マンガの第一人者・高橋よしひろが就任しています。

works

マンガ原画収蔵の意義

1995年の開館以来、原画展示にこだわり、マンガ文化の保存と継承に「原画保存」という角度から貢献してきた「横手市増田まんが美術館」。2019年のリニューアルオープンを機に、原画の収蔵とアーカイブ化に本格的に取り組んでいます。夢中で読んだマンガの原画を目の前にできる貴重な美術館です。

貴重な原画を収蔵する「マンガの蔵」には、デジタル化した原画を検索して呼び出せる大型タッチパネルなど、ユニークな仕掛けがいっぱい。

DATA

横手市増田町増田字新町285　0182-45-5569　manga-museum.com　10:00～18:00（入館は17:30まで）　休 第3火曜日(祝日の場合は翌日)　¥ 無料(特別企画展は有料)　JR十文字駅前からバスで5分、徒歩8分　湯沢横手自動車道路十文字ICから約10分

05
nagano
長野県

芸術家の心をとらえた自慢の山並みを望む

北アルプス展望美術館《キタアルプステンボウビジュツカン》

あづみ野池田クラフトパーク内にある「北アルプス展望美術館」。その名前のとおり、正面に雄大な北アルプス連峰と安曇野の田園風景を一望できる丘の上の美術館です。この「息をのむほど美しい」と言われる池田町の風景は、多くの芸術家を魅了し続けてきました。

女流画家の小島孝子《こじまたかこ》も、この地に魅せられ、この地を愛したひとり。母親が池田町生まれだったことから、1歳から8歳まで疎開していました。東京の女子美術大学に進んでからも、毎年この町を訪れ、

日本の原風景として安曇野を描き続けた
山下大五郎〈安曇野豊穣〉。

北アルプスや有明山《ありあけやま》などを描いたとか。池田町の疎開時代の思い出を描いたとされる〈北安曇再生〉や〈印刷する人〉など、作品約700点が同美術館に収蔵されています。

そのほか安井曽太郎《やすいそうたろう》に師事し、戦後すぐ長野県に移って安曇野の風景を描いた奥田郁《おくだいく》太郎《たろう》。70歳を過ぎてから安曇野と出会い、亡くなるまで約10年間通い続け、多くの作品を残した山下大五郎《やましただいごろう》もしかり。安曇野ゆかりの画家や陶芸家たちの作品を、シーズンごとに入れ替え常設しています。

memo

作家の感性に響く原風景

3000 m級の山々が連なる北アルプス。池田町にある同美術館の正面階段からは、信濃富士と呼ばれる有明山（2268m）が左右対称の稜線を描き、その右奥には燕岳がそびえます。有明山を中心とした北アルプスの景観と安曇野の田園の織り成す風景は、まさに日本の原風景の美しさであり、多くの芸術家の心を魅了しました。

1 森をバックに、赤煉瓦の建物が映えます。 2 ポストカードの他、オリジナルエコバッグなどが購入できます。 3 美術館設立のきっかけとなった画家、小島孝子。

展示された絵画の雰囲気に合う、やわらかな木の質感に和みます。

DATA

〒北安曇郡池田町会染7782 ☎0261-62-6600 🌐navam.jp/artist.html 🕒9:00〜17:00（入館は16:30まで） 休 月曜日（祝日の場合は翌日）、12月11日〜2月末日、展示替え期間 ¥ 大人400円、高校生・大学生250円、障がい者手帳の提示で本人と同伴者1名まで半額 🚌JR穂高駅からバス15分 🚗長野自動車道安曇野立山ICから40分

06
nagano
長野県

山岳美術ファンのコレクションから生まれた絶景美術館

安曇野山岳美術館《アヅミノサンガクビジュツカン》

美術館の庭に咲く花々。左上から時計回りにイワウチワ、ササユリ、シャクナゲ、ヤマツツジ。

四季折々に移り変わる北アルプスの山々を間近にとらえる安曇野。そこにある山の絵だけを集めた美術館です。

　常設されている作品は北アルプスを描いたものが多く、画号の小さいものは、画材を持ち山に登り、頂上あるいはその近くの尾根筋にイーゼルを立てて、そこに広がる風景を描いたもの。

　3000m超えの山々がそびえる北アルプス。森林限界を越えるとその先は荒々しい岩肌。その場所に登りつくまでに1週間以上かかるうえ、常に危険にさらされながら、

1 山岳絵画の真骨頂ともいうべき足立源一郎の油彩画作品〈北穂高岳南峰〉。 2 吉田博の版画作品〈新穂高〉は柔らかなタッチと色合い。 3 木々や花々に囲まれ木漏れ日がさす美術館。 4 喫茶室からのカフェテラス。安曇野産のりんごジュースがおすすめです。

絵筆をとった山岳絵画です。

常設されているのは山岳画家の先駆者として知られ、近代美術書を多く残す文筆家でもあった足立《あだち》源一郎《げんいちろう》や吉田《よしだ》博《ひろし》、加藤水城《かとうみずき》、片山芳樹《かたやまよしき》、原《はら》田達也《だたつや》、生前は北アルプスの麓に居を構えていた上田太郎《うえだたろう》ら、十数人の山岳画家が描く油彩、水彩、版画、デッサンの数々。

地元で活動するアーティストを取り上げる作品展『THE HOME』など、他ではお目にかかれない展示も魅力的です。

山小屋を意識したという建物は、高い天井とそれを支える大きな梁、そして漆喰《しっくい》塗りの白い壁が印象的。飾り気がないながらもどこかあたたかく、周囲の緑に溶け込む建物です。古民家再生の第一人者であり、長野出身でもある建築家、降幡廣信《ふるはたひろのぶ》氏の手で設計されました。

麓から眺めて描く風景画とは異なる、山の上に立ちそこに広がる美しく厳しい風景、そしてそこに流れる風までも描きあげる画家の情熱が伝わってきます。

展示された多くの作品を眺めながら、峰から峰へ、登った山、これから登りたい山に思いを巡らせれば、しばし時間を忘れそう。

1 山や安曇野をテーマにした書籍も揃っています。 2 デッサン、版画、油彩など手法はさまざまでも、すべて山岳絵画作品です。

human

現場仕上げを貫いた山岳画家

足立源一郎は大阪・船場の生まれ。大正時代に7年間パリに滞在し、画業の基礎を固めました。滞欧時代はヨーロッパ・アルプスを、晩年は1年の大半を北アルプスの山中ですごし、制作の手法は現場仕上げ（タブレナチュール）。実際に山に登り写生することに徹し、山岳画の神様と慕われています。〈滝谷ドームの北壁〉〈北穂高岳南峰〉は同美術館に所蔵。

山岳画の神様と称され、その人柄からも多くの人々に親しまれた足立源一郎。

DATA

〒安曇野市穂高有明3613-26 ☎0263-83-4743 🌐azumino.mt-museum.jp 🕒10:00〜16:00 休 木曜日(祝日の場合は開館)、冬季休館(12月11日〜3月9日)、ゴールデンウィーク・8月は無休 ¥ 一般・大学生600円、中・高校生300円 🚉JR穂高駅からタクシー10分 🚗長野自動車道安曇野ICから25分

column
-01-

山岳美術の話

山岳美術、山岳画というジャンルがあります。画家によって山に登って描くことがマスト、などのこだわりもありますが、広義には山とその周辺を描いた絵はすべて山岳画。山間部の多い日本において、身近な山が絵画のテーマとなったのは当然かもしれません。

日本山岳画協会の歴史

1936年、日本山岳画協会が結成されました。好んで山の絵を描く画家の集団であり、山中はもちろん、遠望や山麓、湖沼、草木や動物、さらには神話や伝説に至るまで、国内外の山に関する題材をすべて含んで山岳画としています。日本山岳会に所属する12名の画家によって発足し、現在20数名の会員が活動しています。

峰の原高原山の繪美術館（p.24）の足立源一郎作品を集めた展示室。

1 没後70年の今もファンが多い吉田博。2 丸山晩霞記念館（p.128）所蔵〈祢津風景〉。晩霞と交流が深かった吉田博は山頂に立つことにこだわりましたが、晩霞は高山植物や山里の風景も好んで描きました。

絵画が広めた山の魅力

協会設立メンバーには、本書にも随所に名前が出る足立源一郎、丸山《まるやま》晩霞《ばんか》、吉田博らが名を連ねています。協会結成15年後の1951年に大町山岳博物館（p.68）が開館。その後、安曇野山岳美術館やふたつの「アルプ美術館」（p.12、p.30）ほか、1章で紹介するような、山の魅力や山に対する人々の崇拝、憧れを伝えるアート施設が各地に設けられていきます。

07
nagano
長野県

ゆかりの文人や画家の軌跡を紹介

富士見町高原のミュージアム《フジミマチコウゲンノミュージアム》

日本三大高峰である富士山、北岳（南アルプス）、奥穂高岳（北アルプス）を望める風光明媚な土地柄である富士見高原には、明治期より多くの文人が来遊。この高原を題材とした小説や詩歌、俳句などが数多く生まれました。

富士見町コミュニティ・プラザ内の「富士見町高原のミュージアム」では、大型プロジェクターにより富士見高原の四季の自然をつづりながら、富士見高原を舞台とした作家たちを紹介しています。

そのひとつが伊藤左千夫《いとうさちお》を中心としたアララギ派の歌人

文豪や歌人の詩歌や俳句などが木立に浮かぶような展示。

たち。ミュージアム近くの富士見公園は伊藤左千夫が設計したもので、彼は斎藤《さいとう》茂吉《もきち》、島木赤彦《しまきあかひこ》などの仲間を集めて歌会を催していました。この地に別荘を構えた井伏鱒二《いぶせますじ》、田山花袋《たやまかたい》や詩人・尾崎喜八《おざききはち》の作品も紹介しています。

また、サナトリウムとしてその名を知られる「富士見高原療養所」で療養し、生涯を閉じた画家・竹久夢二《たけひさゆめじ》。彼の描くはかなげな美人画の代表作〈宵待草〉も展示されており、古き良き大正ロマンの世界に引き込まれます。

human

晩年をすごした尾崎喜八

避暑地としてこの地に別荘を構えた文人は多く、詩人の尾崎喜八もそのひとり。1946年、別荘地の一角に、「分水荘」を構え、『花咲ける孤獨』他、多くのエッセーを執筆、豊かな晩年をすごしました。同ミュージアムには、本人ゆかりの貴重な書籍を展示する「尾崎文庫」が設けられ、作品を手に取って見ることができます。

1 近代的な建物は博物館、公民館、図書館の複合施設。 2 この地に集った文豪たちの軌跡と作品が見やすく展示されています。

土地の四季の自然を映像で紹介するコーナーも人気です。

DATA

〒諏訪郡富士見町富士見3597-1 ☎0266-62-7930 🌐www.town.fujimi.lg.jp/site/haku1 🕒10:00〜17:00（入館は16:30まで） 休 月曜日（祝日の場合は翌日）、年末年始 ¥ 大人300円、小・中学生150円、20名以上は団体割引有 🚉JR富士見駅から徒歩3分 🚗中央自動車道諏訪ICから車で10分

08
nagano
長野県

静かな山荘で山の絵と本に囲まれてすごすひととき

峰の原高原《ミネノハラコウゲン》　山の繪美術館《ヤマノエビジュツカン》

菅平高原《すがだいらこうげん》と隣接する別荘地、ペンションとして営業されていた山荘を改装して開かれた小さな美術館です。オーナーのお宅におじゃまするような気分で室内へ。

オーナーが自分の趣味で一点ずつ集めた山の絵や書籍など、玄関から階段、廊下や天井にまで、コレクションが展示され、どこから見ようか迷ってしまうほど。

ぎっしりと本が詰まったお手製の書棚には、どこを見ても手に取りたい本があり、山好きでなくてもワクワクしてしまうはず。

友人の別荘に遊びに来たような気分。手作りの巣箱や餌台には、鳥はもちろんリスも遊びに来るのだとか。

２階に上がると、作家ごとの部屋があり、水彩、油彩、版画やスケッチなど、さまざまな絵を見ることができます。畦地梅太郎、足立源一郎、松《まつ》田《だ》敏《とし》男《お》、田澤《たざわ》栄太郎《えいたろう》、栗田政《くりたまさ》裕《ひろ》ほか『アルプ』（32ページ）でおなじみの画家の作品を中心に、写真なども収集しています。

枠にとらわれることなく「好き」だから見ていたい。そんな絵に対する想いを、控えめですが静かな情熱に満ちたオーナーにお聴きするのも楽しいのです。

memo

国内屈指のペンション村

根子岳山麓に広がる標高1500mのなだらかな峰の原高原には、80軒あまりのペンションが存在します。元ペンションだった山の繪美術館への道を登る途中にも、さまざまなタイプの山荘が次々と現れます。北アルプスをはじめとする山々の絶景や山歩きを楽しんで、高原に一泊。アートと本でものんびり山を楽しむ、そんな贅沢な過ごし方も。

1 元ペンションの構造を活用し、部屋ごとにテーマを設けて作品を展示しています。 2 玄関の吹き抜け空間を利用した展示は迫力満点。館内に一歩入った瞬間から山の絵に囲まれます。 3 これはごくごく一部。リビングの一角も本棚になっていて、蔵書は数万冊だとか。

リビングでコーヒー（入館料に込み）をいただきながら、山関連の他に道祖神や梟の小物など、多岐にわたるオーナーのコレクションや、山歩きの思い出話を聞くのもいいでしょう。

DATA

〒須坂市大字仁礼3153-260 ☎0268-74-3660 🌐www.suzaka-kankokyokai.jp/contents/midokoro/39.html 🕒9:00〜16:00 休 11月〜4月は休館。5月〜10月は水・木・金曜日 ¥ 大人400円、中学生以下は無料(コーヒー付き) 🚉長野電鉄須坂駅から車で25分 🚗上信越自動車道上田菅平ICから50分

09
nagano
長野県

無料ゾーンも充実の、開かれた美術館

長野県立美術館《ナガノケンリツビジュツカン》

展示を観るのはもちろん、遊び心のあるグッズやアート関係の本が並ぶギャラリーショップ、無料の交流スペースなどで思い思いに楽しめる美術館です。

１９６６年に開館し、50数年にわたり愛されてきた長野県信濃美術館が、２０２１年４月、全面改築を経て生まれ変わりました。名称も長野県立美術館に変わり、屋上からは善光寺の眺めも楽しめる「ランドスケープ・ミュージアム」となっています。

長野にゆかりの芸術家の作品を中心に収集し、絵画や版画、工芸や写真、映像など、幅広いコレクションは４６００点以上。信州の自然を描いた風景画が多いのも特徴で、山岳画の第一人者である吉田 博や丸山晩霞の作品

1 屋上に設けられた風テラスでは、善光寺の本堂や山々の眺望が広がります。 2 ゆったりスペースがとられたメインエントランス。 3 水辺テラスで人工的に発生させた霧が自然と響き合う〈霧の彫刻〉。世界各国で霧の作品を発表する中谷芙二子が手掛けました。中谷芙二子〈霧の彫刻 #47610-Dynamic Earth Series I -〉 Photo Junya Takagi。

も観ることができます。

広々とした館内は、コレクションや企画展の展示スペースが充実しているのはもちろん、無料で楽しめるゾーンも多いのがうれしいところ。無料で観たり参加できたりする展示やワークショップ、アーティストトークなどもあり、何度でも足を運びたくなりそう。アートや自然に関する本が豊富なアートライブラリーもあり、興味のままにすごすことができます。

本館と連絡ブリッジで行き来るできる東山魁夷館は、昭和を代表する日本画の巨匠である東山魁夷の作品と関係図書、約970点を収蔵しています。長野を「私の作品を育ててくれた故郷ともいえる場所」といい、信州の自然を描いた作品を多く遺しました。

信州奥蓼科の御射鹿池を描いた〈緑響く〉や〈水辺の朝〉〈山霊〉〈白馬の森〉、絶筆となった〈夕星〉なども収蔵され、巨匠のさまざまな世界観に寄り添えます。

画家本人の依頼で設計を手がけたのは谷口吉生《たにぐちよしお》氏。展示作品の額縁となる建物を目指したという美しい建物です。

1 池を設けた中庭から望む東山魁夷館。 2 東山魁夷館の展示室。およそ２ヵ月に１度の割合で展示替えがあり「風景は心の鏡である」といった巨匠のさまざまな世界観に寄り添えます。 3 創作の部屋と呼ばれる１階展示室。

works

東山魁夷美術館は全国に点在

祖父の出身地である香川県坂出市に版画270点余を寄贈。瀬戸大橋が眼前に広がる沙弥島に「香川県立東山魁夷せとうち美術館」が開館しました。復員直後から90歳で亡くなるまで暮らした千葉県市川市の自宅隣接地には「東山魁夷記念館」が開館。約500点の版画を寄贈した岐阜県中津川市には「東山魁夷 心の旅路館」が。

和を基調にしながら、イタリアンやフレンチのテイストを取り入れた２階の「ミュゼレストラン善」。地元の食材や旬にこだわる飲食は、３階の「Shinano Art Café」でも楽しめます。

DATA

長野市箱清水1-4-4 026-232-0052 nagano.art.museum 9:00～17:00（入館は16:30まで） 休 水曜日（祝日の場合は翌日）、年末年始（12月28日～1月3日） ¥ コレクション展700円（本館・東山魁夷館共通）大学生及び75歳以上500円、高校生以下または18歳未満無料、身体障害者手帳や、精神障害者保健福祉手帳の提示で本人と付き添い1名無料 JR長野駅からバス15分、長野電鉄善光寺下駅から徒歩3分 上信越自動車道長野ICから30分

column
-02-

山好きが集う書店

大きめの書店なら山コーナーがあり、ネットで「山の本」を検索すれば全部は見きれないほど情報が表示されます。それでもやっぱり「山の本屋さん」と呼びたくなるような空間は魅力的。思わぬ出会いがあるかもしれません。

軟弱古書店のウェブサイトには毎月の新着書籍リストもあります。もちろん本を買えるだけでなく、買取りの相談もできます。

「断崖絶壁のように」と表現される悠久堂書店山岳書売り場の単行本。

硬派な品揃えの古書店から代々の専門書を置く書店まで

「本の中で山を楽しみませんか?」と誘ってくれる京都・左京区の軟弱《なんじゃく》古書店《こしょてん》(yamanohon.jp)。山岳・登山・探検・渓流釣り専門のネット&店舗の古本屋です。ウェブサイトを見ると、山好きでなくてもわくわくするような、ユニークな本が並んでいます。営業日・営業時間は不定期なのでウェブサイトで確認を。店舗の入る白亜荘も歴史のある素敵な建物です。

大正4年創業。新潟の悠久山《ゆうきゅうざん》から名付けられた悠久堂《ゆうきゅうどう》書店(yukyudou.com)は、本の街である東京・神保町にあります。2代目の店主が担当していた山の本コーナーは2階に。『アルプ』で活躍した作家や、海外の登山家、写真家の稀少本も多数。ちなみに3代目は料理本、4代目は美術書と、代々揃えられてきた本で充実の一途をたどる本屋さんです。

登山をする人にはおなじみの石井スポーツには書籍販売コーナーのある店舗があります。中でも東京・神保町の登山本店は、季節やイベントによってラインナップが変わる充実の品揃えです。(石井スポーツ登山本店書籍売り場で検索)。

収蔵作の入れ替えや企画展も行われるので、何度足を運んでも楽しめます。
甲斐駒ヶ岳などの登山の帰りに寄る人も多いとか。

10
yamanashi
山梨県

館長が愛し育んだ『アルプ』の世界が広がる

日野春アルプ美術館《ヒノハルアルプビジュツカン》

「アルプ」とは、アルプスの山腹に広がる平原のこと。険しい山地でありながら、夏には放牧地として命を育みます。1958年、アルプの名を冠した文芸雑誌が、創刊されました。雑誌『アルプ』に参加したのは、作家、芸術家、学者など640名あまりの山を愛する人々。山と芸術、文芸に魅入られた人のための雑誌は、ふたつの美術館を生み出しました。12ページの「北のアルプ美術館」と、ここ「日野春アルプ美術館」です。

　いずれも山や自然、『アルプ』に夢中になったコレクター

■1 「好き」の気持ちで集めた絵がいつの間にか増えて「飾る場所もほしいし、いい絵を観たい人に観てほしい」。そんな願いが叶った美術館。■2 至る所に絵があるから、何度も行き来して堪能したい。■3 「どの絵をどこに飾ろうか考えるのも楽しい」という鈴木館長。上下2段のめずらしい飾り方も。

が、自らのコレクションを公開する私設美術館であり、もちろん互いに交流があります。日野春の館長、鈴木伸介《すずきしんすけ》氏も、北のアルプの創設者と同じく北海道の出身。長年大学の図書館司書を務めながら、コレクションを続け、やがて貴重な一大コレクションとなった作品たちを公開できる場所を探していたといいます。そして鳳凰三山《ほうおうさんざん》や甲斐駒ヶ岳《かいこまがたけ》などの山々を望むこの地に、山小屋風の美術館を開きました。

代表的な常設コレクションのひとつが「六花亭」の包装紙でも有名な坂本直行の作品群。その他、畦地梅太郎や一原有徳《いちはらありのり》の版画などが展示されています。大きな絵画や立体感のある作品などもあり、見応えたっぷり。

さらに、山や自然に関する書籍・雑誌・視聴覚資料などを手に取って読める「山の文庫」も充実しています。『アルプ』で活躍した作家の作品を中心に集められた図書館には、貸出可能なものも。美術館であり、文学館であり、図書館でもある。館長のガイドは周辺の山の話にも及び、さまざまな面から山の魅力を満喫させてくれます。

1 図書館司書だった鈴木館長が整える山の文庫。膨大な資料が手に取りやすく整理整頓されているのも納得です。 2 地元の画家が描いた絵。アクリルを塗り重ねた立体感で臨場感を醸し出します。 3 定期的に開かれる中村好志惠の個展は人気企画。中村氏の山や花の絵があしらわれたグッズなどを販売。

works

芸術的な山の文芸誌

1858 年から 25 年にわたり 300 号発行された『アルプ』は、山の雑誌でありながら登山案内や用具の紹介は一切なく、なんと広告もないという異色の存在でした。代わりに掲載されたのは、山にまつわる詩や紀行文、スケッチ、写真などの作品。毎号の表紙を飾った版画には、山と『アルプ』の素朴で美しい魅力が表れていました。

美術館のある北杜市から見た甲斐駒ヶ岳。富士山や日本で 2 番目に高い北岳も市内から望めます。

DATA

北杜市長坂町長坂下条1342-2 0551-32-6325 www.yamanashi-kankou.jp/kankou/spot/p1_4526.html 10:00〜16:00 休 火・水・木曜日、12月〜3月は休館 ¥ 一般500円、小学生以下無料 JR長坂駅から車で5分 中央自動車道長坂ICから5分

column
-03-

アルプの作家たち

1958年、串田孫一が中心となり創刊した山の文芸誌アルプ。25年300号で終刊となりながら、今でも「アルプ展」などが開催される“伝説の雑誌”です。山と自然を愛する文筆家、画家、写真家などが数多く参加して、多くの人々の心に残る独特の世界観を紡ぎ出しました。

実用書と一線を画して

串田孫一の記した「編集室から」には、アルプのコンセプトが端的に記されているようです。「〜ただ、雪線近いその草原が、人の住む町の賑わいから遠く鎮まっているように、『アルプ』もいわゆる雑誌の華やかさや、それに伴う種類の刺激性などからは距ったものだとは言えるし、自ら願っている方向も決まっている。また、芸術として、燃焼し結晶し歌となる場所でもあると思う」（抜粋）。

「役目を終えた」として終刊となった300号。日野春アルプ美術館（p.30、左下の画像も同）所蔵。

髭面で頭巾やバンダナのようなもので頭を覆った山男の絵がトレードマーク。その多くは雷鳥を抱いています。愛媛・宇和島市には「畦地梅太郎記念美術館」があります。

“山の版画家”畦地梅太郎

『アルプ』をはじめ、山岳雑誌や作品集などで知られ、多くのファンに愛される畦地梅太郎。油彩画を目指しながら内閣印刷局に勤め、職場にある材料で鉛版画をスタート。浅間山に魅せられたことから、山をテーマに制作を続け、「山男シリーズ」などを生み出します。独特のユニークな味わい、あたたかみのある作風で多くのファンに愛されました。

伝説をつくった作家たち

25年間で寄稿者は640人を超えるといわれるアルプ。「アルプがなかったら木版画を一生の仕事に決めることなど思いもよらなかっただろう」とは版画家、大谷一良の言葉。写真は日野春アルプ美術館。

読者にとって、アルプを代表する作家は人それぞれでしょう。編集主幹の串田孫一や畦地梅太郎はもちろん、これぞアルプという作風や記事が、読み手それぞれにあるはず。中でも多く名前が挙がる作者を列挙すると、風刺画の辻《つじ》まこと、冒険家の西丸震哉《にしまるしんや》(p.124)、作家の深田久弥(p.116)や詩人の尾崎喜八など。

坂本直行の作品はいろいろな美術館に

「六花の森」(p.10)や2つの「アルプ美術館」(p.12、p.30)など、山や自然をテーマにした美術館に多くコレクションされているのが坂本直行(p.11参照)の作品です。素朴な花の水彩画は特に知られていますが、風景を描いた作品も多く、いずれもすっきりした描線に美しい色彩が特徴といわれます。油絵や版画なども手がけ、おもに北海道の自然をモチーフとして精力的に創作をしました。

日野春アルプ美術館、坂本直行コーナー。

峰の原高原山の繪美術館(P.24)所蔵の栗田政裕作品。緻密を極める版画の世界をより楽しめるよう、展示室には虫眼鏡が常備されています。

アルプの作家たちは、それぞれ記念館や資料館が設けられていたり、自著や作品集が多数出版されていたりします。アルプの世界には、山をテーマにしたジャンルを問わない名作との出会いがあったのです。（日野春アルプ美術館）

串田孫一について

登山をはじめたのは中学時代。旅を創造の泉とし、山を最良の友として著書500冊以上をはじめとする膨大な作品を遺しました。作家でありながら詩を書き、画家としての制作も盛ん、ハープも奏でる多才な人。北のアルプ美術館（p.12）には、東京・小金井市から移築した書斎が、写真をもとに忠実に再現されています。

散文詩的エッセイとも評される作風。自然と対話する思索的な文、平易で端正な語り口などとも表現されます。

『山の文芸誌『アルプ』と串田孫一』（青弓社）、『ちいさな桃源郷～山の雑誌アルプ傑作選』（中央公論新社）など、評論書も多数。アルプの影響力が窺えます。

今、アルプを読むなら

北のアルプ美術館、日野春アルプ美術館には、全号が揃っています。その他、「アルプ全号」で販売している古書店も。日本隊によるマナスルの初登頂後、井上靖の長編小説『氷壁』のブームの中で発刊されたアルプ。『アルプの時代』（山と渓谷社）他、アルプについて書かれた書籍もいろいろあります。

11
yamanashi
山梨県

1 隣接する「リサとガスパールタウン」と共有の噴水公園にはエッフェル塔が。
2 ミュージアムショップにも富士山の関連グッズがいっぱい。

霊峰を望む名建築で富士アートを堪能

フジヤマミュージアム《フジヤマミュージアム》

国内最高峰であり雄大に天をつく独立峰の富士山。その優美なシルエットは数ある日本の名山のなかでも別格とされ、昔から日本人の心に深くしみ込んでいます。そんな富士山を望むロケーションに堂々と、けれど景色に美しくなじんで佇む「フジヤマミュージアム」。

古今東西、富士山は多くの画家によって描かれており、同ミュージアムには富士急行株式会社創設者である堀内良《ほりうちりょう》平《へい》氏が収集したコレクションが数多く収蔵されています。

展示されているのは常時60

視覚の公共性にこだわった建築家、大江匡氏が設計した
近代的な建物は、優美な富士山の姿に不思議なほどマッチしています。

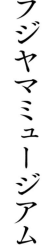

3 岡田三郎助〈春 - 清水より富士〉。 4 横山大観〈蓬莱神山〉。
※展覧会や季節によって展示物は変わります。

点ほど。近現代の著名画家が描いた絵画で、モチーフはもちろん富士山です。〈富士三十六景〉を描いた歌川広重、葛飾北斎、横山大観などの木版画や日本画をはじめ、草間《くさま》彌生《やよい》、片岡球子《かたおかたまこ》、奥田瑛二、片岡鶴太郎の作品も。

ミュージアムはスロープ状の回廊式になっており、歩を進めるたびに、それぞれの画家が独自の視点で描いたさまざまな富士に出会える、斬新な設計です。

また学芸員の話を聞きながら鑑賞したい人には、1回1組限定の〝富士山の絵画〟鑑賞ツアー（要予約）も用意されています。少人数で富士山や作家にまつわる詳しい話を聞いてみては。

memo

名建築で名画を愛でる

2階建てのミュージアムは大江匡《おおえただす》氏の設計。建物の中央には自然光を取り入れるアトリウムを配し、スロープ状の回廊をめぐって絵画を楽しみます。館内には150インチの大画面で富士山のハイビジョン映像が見られるホールがあるほか、屋上に設置したライブカメラが映す現在の富士山を見ることができます。

明るい大空間で清々しくアートが楽しめます。

DATA

富士吉田市新西原5-6-1 0555-22-8223 www.fujiyama-museum.com 10:00～17:30(入館は17:00まで) 休 不定休 ¥ 大人1000円、大学生・専門学生800円ほか学割あり、小学生以下無料、障がい者手帳持参で200～300円の割引 富士急行富士急ハイランド駅から徒歩15分 中央自動車道河口湖ICから2分

日本三奇勝のひとつ妙義山の多彩な表情にふれる

富岡市立《トミオカシリツ》　妙義ふるさと美術館《ミョウギフルサトビジュツカン》

1 2階展示ギャラリー。四季折々の妙義山の景色が広がります。
2 市民をはじめ、一般への貸し出しも行う企画展示室。

群馬県・上毛三山《じょうもうさんざん》のひとつである妙義山。最高峰は標高1103・8mの相馬岳《そうまだけ》で、高い山ではありません。しかし、急勾配の斜面と尖った稜線が特徴で、いくつものピークから成る岩石群は日本屈指の山岳美として知られ、日本三奇勝のひとつにも数えられています。

この妙義山の麓にある「妙義ふるさと美術館」は、1983年から「妙義山を描く絵画展」が開催され、その入賞作品が展示されている美術館です。モチーフである妙義山を間近に眺めながら、同

桜、新緑、紅葉など、四季折々の景観を楽しむことができ、
白雲山の登山口でもある妙義山パノラマパーク内に位置します。

3 3階の展望写生室では、雄大な山々をスケッチ。
4 「妙義山を描く絵画展」大賞作は常設展示室に。

時に絵画を鑑賞するという試みは、全国的にもめずらしいかもしれません。

高台に建つ美術館の3階展望写生室からは、迫力をもって迫る妙義山が、振り返れば悠々たる関東平野が360度のパノラマで楽しめる圧巻の風景。その眺めを写生できるコーナーがあるのもユニークです。緑豊かな自然と数々の絵画作品に囲まれた環境で、芸術に親しむことができます。

美術館周辺は、春は桜、秋には紅葉と妙義山と一体化した美しい四季の風景も観光客の人気を集めています。近隣には日帰り温泉施設「もみじの湯」や道の駅「みょうぎ」などもあり、登山以外の楽しみもいろいろです。

memo

日本三奇勝の妙義山

妙義山は、九州の耶馬渓、四国の寒霞渓とならんで日本三奇勝に数えられる名勝。ロウソク岩、大砲岩、虚無僧岩などユニークな名前の奇岩怪岩がいたるところに見られます。白雲山の中腹にある「大」の字は妙義大権現の「大」を表したもので、かつては妙義神社に参詣できない人が、中山道から「大」の字にお参りしたとか。

陽光がさしこむエントランスでは、目の前に開ける山の光景が自然の懐の深さを感じさせてくれます。

DATA

富岡市妙義町妙義1-5 0274-73-2585 www.tomioka-silk.jp 9:30〜17:00(入館は16:30まで) 休 月曜日(祝日の場合は翌日)、年末年始 (12月27日〜1月4日) ¥ 一般310円、高校・大学生150円、小・中学生は無料。65歳以上は150円。障がい者手帳などの提示で本人と介助者1名が無料 JR松井田駅からタクシーで10分 上信越自動車道松井田妙義ICから5分

都心から1時間、世界一登山客が多い山の魅力にふれる

TAKAO599MUSEUM

タカオゴーキューキューミュージアム

599とは高尾山の標高。高い山ではありませんが、「世界一登山客の多い山」とも謳われています。それは都心に近いというだけでなく、この山は懐が深く、豊かな生態系や歴史が息づいているからなのです。

そんな高尾山の魅力や情報を発信しているミュージアムがこちら。16の展示台が置かれた1階のネイチャーコレクションと呼ばれる展示室では、アクリル樹脂に封入された四季折々の草花や、リアルな昆虫標本を見ることができます。周辺地域を含めて約160

1 高尾山の息吹が感じられるようなプロジェクションマッピング。
2 豊かな生態系をわかりやすく展示するネイチャーウォール。

美しい芝生の中に観光・学習・交流のコンセプトをもつ施設には多くの来館者が訪れます。山に関するイベントはもちろん、宮大工と共に歩く古建築ガイドツアーなど、地域と人々をつなぐユニークな活動を展開しています。

3 美しいアクリル草花の中には貴重な植物も。 4 どこからでもゆったり見て回れる展示。

0種の植物が確認されている高尾山。タカオスミレ、タカオヒゴタイといった、高尾山で初めて確認された貴重な植物も見つけることができるかも。

ネイチャーウォールでは、プロジェクションマッピングの手法を用いて、高尾山の豊かな自然の象徴であるブナと、そのまわりに生きる動物たちの、四季折々の生態を、ユーモラスに紹介しています。

3つのテーマに沿って、高尾山を登る前の予習ができる「599GUIDE」や、山に登るには幼い子どもたちも気軽に山の楽しさを味わえるよう、高尾山の起伏を再現した「キッズスタディスペース」も用意されています。

memo

高尾山は昆虫の宝庫

高尾山は大阪の箕面山、京都の貴船山に並ぶ日本三大昆虫生息地。昔から昆虫研究のフィールドとしても愛され、今も数千種類の昆虫が棲んでいます。タカオシャチホコ、タカオメダカカミキリなど、高尾の名を冠した昆虫も。ここでしか出会えない驚きや発見に満ちた高尾山は、好奇心への入り口です。

多摩産材がふんだんに使われたカフェでは、サイフォンコーヒーやチーズケーキが人気。ショップにも多摩産材のグッズなどが並びます。

Photo：Taiji Yamazaki

DATA

〒八王子市高尾町2435番3 ☎042-665-6688 www.takao599museum.jp 8:00〜17:00(4月から11月／入館は16:30まで)、8:00〜16:00(12月から3月／入館は15:30まで) 休 年中無休(メンテナンス等で休館する場合あり) ¥ 無料 京王電鉄高尾山口駅から徒歩4分 中央道八王子ICより27分

14
tottori
鳥取県

大山を一望する山麓で、山岳画と蕎麦を堪能する

伯耆国山岳美術館《ホウキノクニサンガクビジュツカン》

日本百名山や日本百景にも選ばれている鳥取のシンボル・大山。鳥取県西部の旧国名であった伯耆国《ほうきのくに》を冠して伯耆大山、伯耆富士とも呼ばれる中国地方最高峰の山です。その雄大な大山の西の裾野に小さな私設美術館「伯耆国山岳美術館」があります。

白壁と切妻屋根《きりづまやね》が特徴の和風外観の館内には、山岳や自然をテーマとした油絵を中心に約20点の作品を常設展示。山岳画家で知られる足立源一郎はじめ山里寿男《やまさとひさお》、伯耆町出身の洋画家・八橋誠滋《やばせせいじ》、大山町出身の田中良一など、一枚

入り口には「文化は心を癒やしてくれる、生きる力」という言葉が。山岳写真家の草分け、風見武秀が撮影した大山や、日本山岳会から預かっている作品なども観ることができます。

一枚、山を愛し、故郷を愛した画家たちの思いが込められた作品ばかりです。
山頂に立った者だけが見ることのできる「黒と白」の究極の色彩で描かれた山里寿男の〈伯耆大山・縦走路〉は圧巻。山岳・自然をテーマとした作品と、地元作家・地元出身作家の作品を収蔵する同館では彫刻やオブジェの作品も常設。山を愛する人々との交流の広い館長が選んだ作品は、いろいろな視点から山や自然とアートの関わりを味合わせてくれます。

memo

併設カフェで手打ち蕎麦

中国地方最高峰 1709 mの大山は、新緑の季節を迎えると多くの登山客で賑わいはじめます。その大山を抱く山麓は、おいしい伏流水でも知られています。同館内には、窓辺に美しい伯耆富士の山容を望むカフェ・モンテローザが併設。館長自らが栽培・製粉した玄蕎麦を、大山の伏流水で打った手打ち蕎麦として味わうことができます。

1 来館者、一人ひとりの創造力によって育まれるという美術館。山、自然、故郷をテーマとした意欲作に触れることができます。 2 吉川明秀館長が撮影した大山。美術館の周辺からも美しい眺めが楽しめます。 3 つるつるとたぐるごとに蕎麦の香りを感じる自家栽培の手打ち蕎麦。天ぷらや小鉢にも地元の旬の山菜や野菜が使われています。

2階ミニホールには、山岳図書など山岳関係の稀少な資料も。思わぬ出会いがあるかもしれません。

DATA

〒西伯郡伯耆町金屋谷943 ☎0859-63-0396 www.chukai.ne.jp/~akihide-k/sangakuart/index.html 10:00～17:00 休 月曜日(祝日の場合は翌日)、お盆休日(8月13・14日)、年末年始(12月30日～1月4日)、カレンダーにより変更する場合あり、その他臨時休館あり ¥大人500円、高校生以下200円、友の会会員・日本山岳会員は無料 JR伯耆溝口駅から車で10分 米子自動車道溝口ICから3分

column
-04-

山好きにおすすめの宿

宿泊で登山となるとおなじみなのは山小屋。各地に特色のある山小屋がありファンも多いのですが、ここでは山小屋ではないけれど、山岳ガイドがいたり、山好きが集まったりする宿泊所を紹介します。土地を知り尽くした山のプロといっしょなら、普段とは違う山の一面に出会えるかも。

ふたつの百名山を満喫できるリゾート

八《はち》幡平《まんたい》マウンテンホテルは、岩手山や八幡平エリアを楽しめる通年型の高原リゾート。日本山岳ガイド協会認定のガイドが在籍し、ホテルの自然ガイドステーションで様々な情報を提供しています。周辺で見ることのできる高山植物の解説や、プロジェクターを使用した星座の解説なども。お天気が良ければホテル前で満天に輝く星空観察も実施しています。

日本百名山(p.117)のひとつにも挙げられる八幡平。八幡平マウンテンホテル　hachimantai-mountainhotel.com

アットホームな雰囲気で女性ひとり宿泊も歓迎のペンションあぎ。
agiagi.com

山岳ガイドがオーナー

“白馬の小さなペンション”あぎ。自家菜園でつくった手作り料理や居心地の良さでリピーターも多い隠れ家のような宿です。オーナーは白馬山案内人組合に所属し、夏の昼間は山岳ガイドとして山に登っています。登山道の状況や高山植物の開花状況など、リアルタイムの正確な情報が聞けるほか、山談義にも花が咲きます。

国際山岳ガイド、元スキーデモがオーナーの宿

白馬に生まれ育ったオーナーは、パタゴニア・アンデスやヨーロッパ・アルプス、ヒマラヤなどへの登山経験が豊富。チョモランマやマナスルなどでスキー登山もし、日本初の国際山岳ガイドに認定されました。山の写真が数多く展示された宿は、北アルプスを一望するレストランに心地よい温泉、愛犬と泊まれる部屋もあります。

山のスペシャリストが経営するホテル・ラ・モンターニュ・フルハタ
www.hakuba-furuhata.com

日本山岳ガイド協会の設立は1971年。当時は日本アルパイン・ガイド協会という名称でした。それ以前にも各地に案内人の組織はあり、中でも白馬山案内人組合は1919年発足という歴史があります。

冬も夏も八甲田を知り尽くしたガイドが案内

パウダースノーで有名な八甲田山の登山口横に位置する山荘。八甲田ガイドクラブのガイドが常駐する宿として、スキーヤーがやってきます。バックカントリーやナイトハイクなど、ガイドにいてほしいスキー＆山遊びが満喫できます。ひとり参加も歓迎、雪や山の状態に合わせてその日、その時の雪山を一番楽しめる案内をしてくれます。

日本有数の豪雪をプロの案内で安全に満喫してみては。
八甲田山荘　www.hakkoda-sanso.com

chapter

-2-

山を知って楽しむ施設

Facilities to know and enjoy the mountains

成功を優先させれば生命が危ない。
生命を大事に考えれば成功はおぼつかない。
―― 加藤保男／登山家

道のありがたみを知っているものは、
道のないところを歩いたものだけだ。
―― 大島亮吉／登山家

チャンスの女神は平等ではありません。
しかし、つかむか逃すかの選択は平等に訪れる。
―― 堀江謙一／冒険家

嘘や偽りだらけの世の中で、
登山ほど真実と向き合える世界はないだろう。
―― 伊藤達夫／登山家

撮影：馬場茂／戸隠山

01
hokkaido
北海道

小樽のスキー発展の歴史を振り返る郷土資料館

小樽天狗山ロープウェイ・スキー資料館《オタルテングヤマロープウェイ・スキーシリョウカン》

小樽市の南西に位置し、市民と観光客にリゾート地として親しまれている天狗山。ここは小樽のシンボル的な山である天狗山ロープウェイの山頂、レストハウスに併設されている資料館です。

規模は大きくありませんが、スキーや山登りのついでに寄りたくなる貴重な資料がたくさん。スキージャンプの船木《ふなき》和喜《かずよし》選手のほか、天狗山スキー場で活躍した歴代スキー選手のスキー板やウェア、国体やオリンピック関係資料、オリンピックの参加メダルや、各競技の輝かしいメダルやカッ

道内外の人々に親しまれる絶景の天狗桜展望台。
四季を通して自然を愛する人たちから人気のスポットです。

プなど、約100種400点が展示されています。

また、新潟の高田にレルヒ少佐（52ページ）が伝えたスキーの技術をもとに、小樽にスキーが広まった経緯をたどるのも興味深いのでは。

山頂には天狗山神社があり、道開きの神である「猿田《さるた》彦大神《ひこのおおかみ》」が祀られています。これにちなみ、スキー資料館の奥には日本全国の天狗のお面720種あまりが飾られた「天狗の館」も。地域別に並んだお面から、表情や色などの違いを比較してみては。

human

世界一美しい飛型の名ジャンパー

10歳からスキージャンプをはじめ、数々の大会に名を残してきた船木和喜選手。1998年、長野冬季五輪のノルディックスキー・ジャンプでは個人、団体合わせて金2個、銀1個のメダルを獲得する偉業を成し遂げました。低く鋭い踏み切りの後、深い前傾姿勢から後半に飛距離を伸ばすスタイルは「世界一美しい飛型」と称されています。

1 スキーの歴史を辿る貴重な展示も。 2 多くの冬季オリンピック選手が小樽から羽ばたいています。 3 国内外のスキー大会の記念品が集まっています。

青空もいいけれど、北海道三大夜景に数えられる小樽の夜景をロープウェイや展望台から眺めるのもおすすめです。

DATA

小樽市最上2-16-15 0134-33-7381 tenguyama.ckk.chuo-bus.co.jp/guide 9:00～21:00 休 ロープウェイ期間中無休 ¥ 無料 JR小樽駅からバス20分 札幌自動車道小樽ICから10分

レルヒ少佐の故郷、オーストリアをイメージした瀟洒な建物。

02
niigata
新潟県

はじまりの地から日本スキーの歴史を伝える

日本スキー発祥記念館《ニホンスキーハッショウキネンカン》

新潟県上越市、金谷山スキー場に建つ記念館。ここは日本にヨーロッパ式のスキー術が伝来した記念の場所です。

大きな歴史の一歩を踏み出したきっかけは、軍事視察のために来日し、新潟県・高田で1年あまり過ごしたオーストリア・ハンガリー帝国の軍人テオドール・エドラー・フォン・レルヒ少佐。彼が1911年1月12日、駐屯する歩兵第58連隊の14名の青年将校に対し、日本で初めてスキーの指導を行いました。

1本杖と2本杖のスキー法がある中、上越市の雪質と地

1 もともと主流だったノルウェー式の２本杖のスキーは、板と履物の固定が簡易だったため、急峻な日本の地形に合わせて１本杖が選ばれたといわれます。 2 スキーの歴史に関する資料は特に充実しています。 3 レルヒ少佐と陸軍軍人・長岡外史、1912 年の写真。 4 記念館の横の道を登ると展望台があり、その先に記念碑があります。

形に合わせて、当時最新だった杖を1本だけ使うオーストリア式スキー術を教えたことが日本のスキーの始まりとされています。

記念館は1992年4月にスキー発祥80周年を記念し、建設されました。さらに、長野オリンピック冬季競技大会の開催に向け増築工事を行い、展示内容も充実させて、1997年2月に新装オープンしています。

記念館には、スキーが伝わった当時の貴重な資料や全国から寄贈されたスキー用具、関係資料といった収蔵品が展示されています。

中でもスキー用具の変遷についての資料や展示は充実。レルヒ少佐が伝えた1本杖スキーは山岳スキーともいわれ、2本杖スキーよりも急な斜面に適していたといわれます。その発祥の地とされるオーストリア・リリエンフェルト市から寄贈された1本スキーも展示されています。

また、レルヒ少佐が愛用した品や手記など、遺族から寄贈された貴重な記念品も見ることができます。

レルヒ少佐が初めてスキーの指導をした1月12日はスキー記念日に制定されています。新潟県の「日本スキー発祥100周年」キャンペーンで生まれたゆるキャラ「レルヒさん」も人気。

human

日本にスキーを広めた伝道者

テオドール・エドラー・フォン・レルヒは、来日時の階級が少佐であったためレルヒ少佐という表記が一般的。しかし、中佐に昇格した後も日本各地をまわったため、北海道などではレルヒ中佐と呼ばれています。2本杖のスキー術も会得していましたが、雪質と地形などを考えて、日本では1本杖のスキー術を伝授したとされています。

レルヒとスキー専修将校たちの姿を収めた貴重な1枚（小熊和助氏撮影）。

DATA

上越市大貫2-18-37 025-523-3766 www.city.joetsu.niigata.jp/site/museum/sisetu-ski.html 9:00〜16:30（4月〜10月）、10:00〜16:00（11月〜3月）※入館は閉館時間の30分前まで 休 月曜日（休日の場合は翌日休館）、休日の翌日、年末年始（12月29日〜1月3日）、ゴールデンウィーク・夏休み期間中は無休 ¥ 一般460円、小・中・高校生160円、「スキーの日」、「レルヒ祭」は無料 JR上越妙高駅から車で15分 上信越自動車道上越高田ICから10分

column
-05-

日本の氷河

氷河というと、オーロラや白夜があるような極北、または極寒の地にあるものというイメージではないですが、実は日本にも氷河があります。意外と気軽に訪れることができる氷河もありますが、氷河の上に立つなら体力や装備はしっかりと！

ゆっくり流れる氷河

氷河とは降り積もった雪が圧雪されて、自身の重さでゆっくり流動していく氷塊のこと。流れのスピードはとてもゆっくりです。何年も積み重なった万年雪が塊になり、圧力によって徐々に標高の低いほうに流動するものなので、形成にも長い年月がかかります。南極はほぼ大地全体を覆う大陸氷河で、これは氷床ともいわれます。山岳地に形成される氷河は山岳氷河と呼ばれます。

アルゼンチンの世界遺産・ペリトモレノ氷河。

装備さえしっかりすれば一般の登山客も歩ける御前沢雪渓。

日本にある7つの氷河

2012年、富山県立山カルデラ砂防博物館（p.58）研究チームの調査により、日本で初めての氷河が認定されました。劔岳の「三ノ窓雪渓」「小窓雪渓」、立山の「御前沢雪渓」です。2018年に鹿島槍ヶ岳「カクネ雪渓」、劔岳「池ノ谷雪渓」、立山「内蔵助雪渓」、2019年に白馬の「唐松沢雪渓」が氷河に認定されています。立山東斜面の「御前沢雪渓」は、氷河の上に登山道が通っています。

03
toyama
富山県

立山博物館《タテヤマハクブツカン》

広大な地で、立山の自然と人間の関わりを体感する

山岳文化に関わる資料を収蔵展示し、立山・黒部をはじめとする
日本の登山と山岳信仰の歴史を紹介する山岳集古未来館。

　富山市から約30㎞離れた立山山麓・芦峅寺《あしくらじ》にある立山博物館。芦峅寺には神仏混淆《しんぶつこんこう》の宗教施設があり、かつて「中宮寺《ちゅうぐうじ》」と呼ばれていました。江戸時代には立山信仰の拠点として栄えた土地です。明治の廃仏毀釈により、多くの仏教施設などが破壊されましたが、現在も800を超える石仏群や歴史的遺構、景観、資料を残し、山岳信仰の歴史を伝える貴重な場所です。

　立山博物館は約13ヘクタールの広大な敷地に、展示室をはじめ「旧宿坊《きゅうしゅくぼう》」や「布橋《ぬのばし》」、「うば堂基壇《どうきだん》」など、復元施

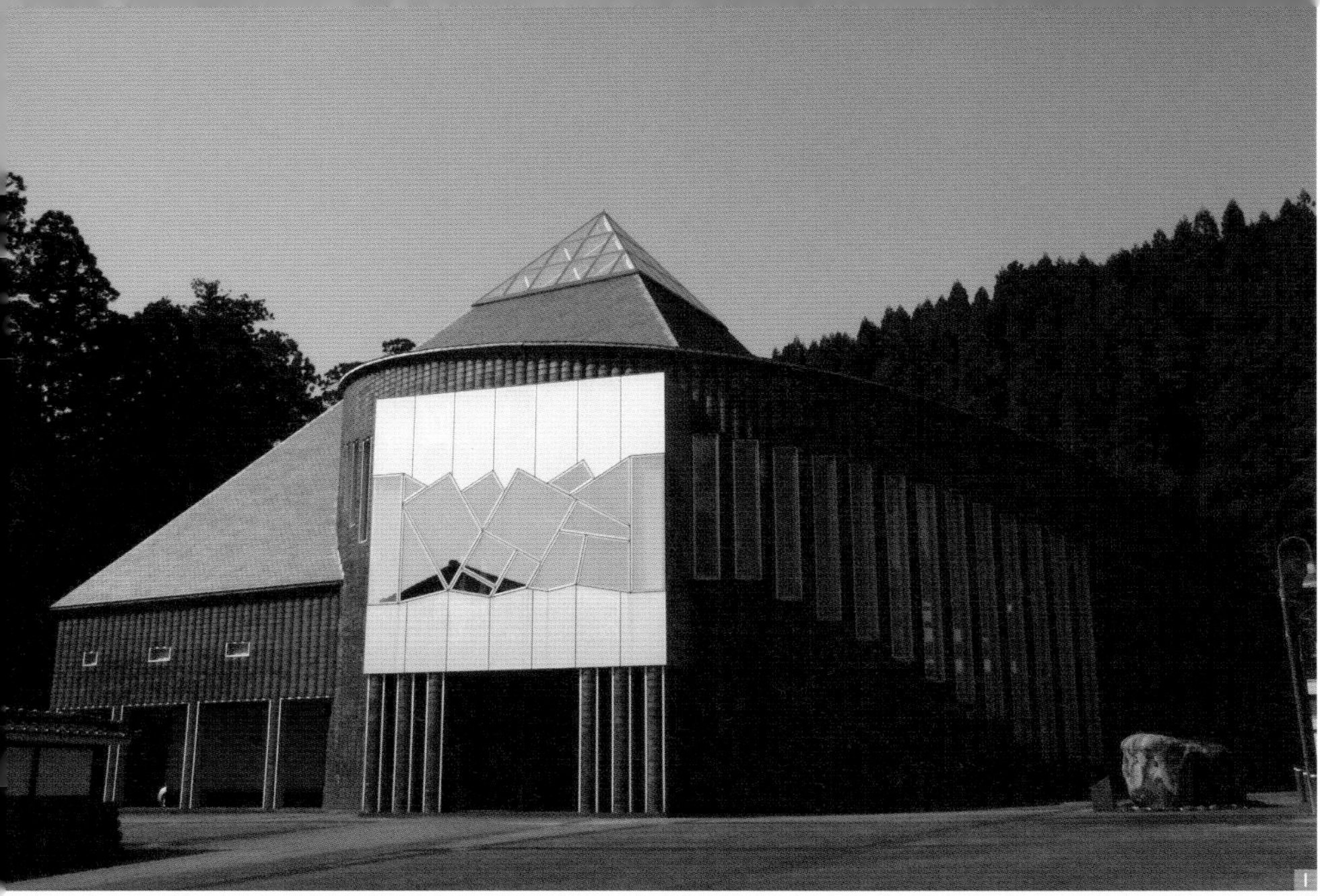

1 山と山岳信仰の複合施設ともいえる立山博物館の中核となる展示館。常設展示室では、立山信仰を中心とした「人と自然のかかわり」を紹介しています。 2 宿坊建築を感じることのできる教算坊の内部。貸室も行っています。 3 江戸時代後期に建てられたといわれる宿坊「教算坊」。庭園は「とやまの名勝」に選定されています。

設を含めて12施設を有します。壮大なスケールの広域分散型施設であり、1日たっぷりすごせるでしょう。

博物館のメイン施設である「展示館」では、雄山山頂付近からの実写映像を大画面で映し出しています。立山信仰についての説明や立山信仰に関係する人々の活動の紹介も。かつて祈りのために山に登っていた人々の生活や、山に抱いていた畏怖の念を垣間見ることができます。

「山岳集古未来館」には、山岳文化に関わる興味深い資料が展示されています。江戸時代、加賀藩より寄進された梅鉢紋《うめはちもん》の神輿。版画家の棟方志功《むなかたしこう》が立山登山で室堂小屋に宿泊した際に、小屋の解体部材に揮毫した「立山は天と地をつなぐ神の領域」を意味する「天地合掌之所」の言葉。さらに、黒部出身で日本初のヒマラヤ遠征登山「立教大学ナンダ・コート遠征隊」で隊長を務めた堀田彌一《ほったやいち》の登山装備や記録写真なども見学できます。

　展示館の観覧だけでなく、立山杉が枝を広げる敷地を、ゆっくり散策、癒やしの時間を満喫したい博物館です。

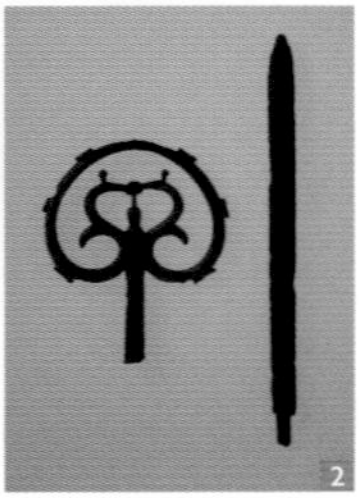

1 野外施設の中心であるまんだら遊苑の中にある「天卵宮」は、立山浄土を表しています。 2 前人未到といわれた剱岳山頂で発見された錫杖頭と鉄剣。平安時代、すでに修験者が頂上を踏破していたと考えられる。 3 その姿を見たものは疫病から守られるという、立山に伝わる神獣「くたべ」。オリジナルグッズが人気です。

works

大伴家持が感動した立山

山の多い日本では、山を神々しいものとし、その意識が生活や宗教と深くつながっていました。平安時代以前、自然は素朴な感覚でおおらかに表現されていました。大伴家持の歌「立山にふりおける雪を常夏に見れども飽かず神からならし」には、夏でも雪に覆われた立山を神々しい霊山と賛美する、素朴な自然観が込められています。

写真提供：立山博物館

映像ホールである遙望館から望む立山の素晴らしい大パノラマ。

DATA

〒中新川郡立山町芦峅寺93-1 ☎076-481-1216 🌐www.pref.toyama.jp/1739/miryokukankou/bunka/bunkazai/home/index.html 🕘9:30～17:00（入館は16:30まで） 休 月曜日（祝日の場合は開館）、祝日の翌日、年末年始 ¥ 展示館（常設）一般300円、特別企画展は一般（70歳以上含む）200円、大学生100円、遙望館は一般100円 🚌富山地方鉄道千垣駅からバスで10分、徒歩1分 🚗北陸自動車道立山ICから30分

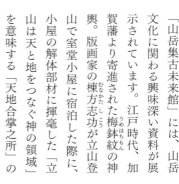

column
-06-

信仰の対象としての山

今では登山といえばレジャーやスポーツのジャンルですが、明治期までの登山はほぼ信仰のため。その後も山岳信仰という文化は残っていました。昔の人々が山に神を感じ、山に抱いた畏怖の気持ちは今も日本人の根底に息づいているのかもしれません。

日本各地にある霊山

平安時代のはじめ、空海や最澄にもたらされた中国の密教によって、日本の自然観は大きく変わったと考えられています。三輪山、吉野山、富士山、立山をはじめ、各地で神の山と崇められる山が信仰の対象になりました。同時に、火山の光景を地獄に見立てる「地獄信仰」、美しい天空の情景に「浄土信仰」も生まれています。

1 落差 350m という日本有数の名瀑布、称名滝。2 立山の地獄に堕ちた餓鬼が飢えをしのぐために田植えをする「餓鬼田」。もちろん秋になっても稲は実らず、餓鬼は苦しみ続けると考えられていました。険しい地形も地獄を感じさせます。

立山信仰と曼荼羅絵

立山博物館所蔵の「立山曼荼羅」は、単に空想の世界が描かれたのではなく、高山植物や地形などが、浄土や地獄に見立てられ意味をもつものとして、不可思議な精神世界が描かれています。山岳信仰は人智の及ばぬ自然を敬うと共に「死を直視し、生きる力と潔く生きる倫理」を学ぶものだといわれています。

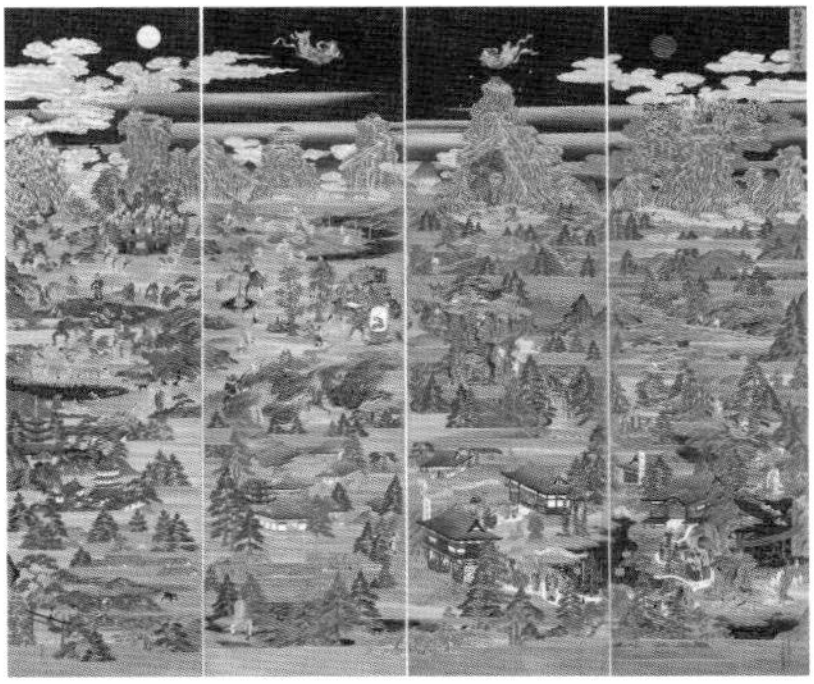

立山曼荼羅「吉祥坊本」。衆徒（僧侶にあたる宗教的な指導者）の案内で曼荼羅の絵の謎解きがされました。左上に描かれた地獄の場面は特に詳しく、民衆を恐怖の世界に誘引したといわれています。

写真提供：すべて立山博物館

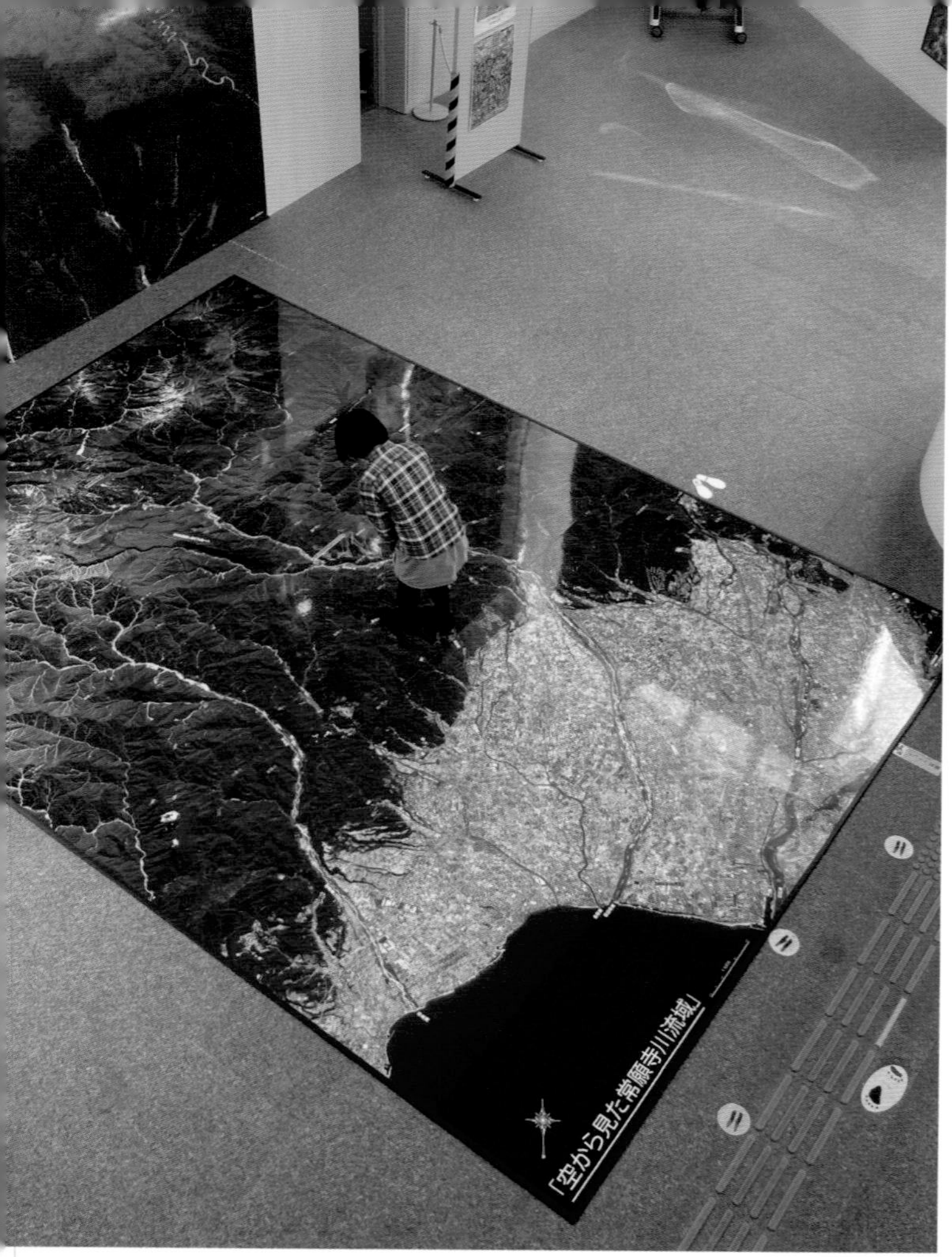

エントランスホールでは大型の衛星写真がお出迎え。
まずは自分のいる博物館の場所を見つけたくなります。

04
toyama
富山県

立山の特色をさまざまな観点から読み解く

富山県《トヤマケン》　立山カルデラ砂防博物館《タテヤマカルデラサボウハクブツカン》

　北アルプスを貫く有名な山岳観光ルートである、立山黒部アルペンルート。その玄関口として賑わう立山駅を降りてすぐの場所に位置する博物館です。立山の特色ある自然の魅力を、地形地質、火山、気象雪氷、雪の壁と氷河、動植物などの観点から展示。立山カルデラの自然や歴史、日本屈指の砂防や常願寺川についても紹介する、盛りだくさんな展示内容です。

　近年はゲリラ豪雨による土砂災害が各地で発生しています。立山カルデラは火山活動と侵食作用により形成された

1 1階から3階まで吹き抜け、直径12mのドーム型ジオラマは大迫力。カルデラ内の六九谷にある展望台から眺めた、立山カルデラ内部の様子を再現したものです。 2 立体模型と立山黒部ジオパーク展示コーナー。 3 2階の砂防常設展示コーナー。

大規模崩壊地。多量の崩壊土砂が堆積し、幾度となく常願寺川に土石流となって下り、下流の富山平野流域に大きな土砂災害をもたらしてきました。その後100年以上経つ今も続く常願《じょうがん》寺川《じがわ》の氾濫。それに立ち向かう闘いの歴史も同館で紹介されています。

2階展示室には「崩れる」「流れる」「防ぐ」のテーマに分けて展示。土石流、土砂崩れ、雪崩のしくみや違いもわかります。

この博物館は、今も工事を進めている砂防事務所と一体となっています。

　工事現場に向かうトロッコ列車に乗車して砂防工事の様子を見学できる体験学習会も実施（7月〜9月）。一般の人が立ち入れない場所を見学し、標高差640mのスイッチバックするトロッコ列車に乗れるのも貴重な体験です。

　立山で発見された氷河、登山案内図や山岳ガイドの歴史など登山にまつわる展示も見ることができます。立山への入山前の予習に最適。知ってから登ると立山の楽しみが何倍にも増すこと間違いなしです。

1 立山駅からすぐ。山歩きの前に立ち寄れば、立山をもっと楽しめます。 2 安政の大災害の際に立山カルデラから常願寺川下流へ流れてきた「大場の大転石」をイメージ。紙芝居風のシアターで安政の大災害についてわかりやすく紹介しています。

memo

企画展や体験ツアーも開催

所属する学芸員は、雪氷（氷河）や気象学、地学、生物学、歴史学、地理学など研究する専門分野が多岐にわたっています。1階では企画展も多彩。「立山カルデラ砂防博物館学芸員と行く体験型フィールドツアー」も年8回開催。春のツアーは「春の立山・雪の大谷」。雪の壁を実際に訪れ、秘められた情報を探るのも興味深いもの。

火山と室堂の地形を再現した「室堂平と玉殿溶岩カレー」。近隣の「おにぎりのしたか」「喫茶あおき」にて販売中。

山岳ガイドの歴史、登山案内図、立山で発見された氷河など、登山にまつわる展示も見ることができます。

DATA

中新川郡立山町芦峅寺字ブナ坂68 076-481-1160 www.tatecal.or.jp/tatecal/index.html 9:30〜17:00(入館は16:30まで)。GW期間、夏休み期間は8：30、9月の連休は9：00より開館。砂防展示室は16：30まで 休 月曜日（祝日の場合は開館）、祝日の翌日（土・日曜日は開館）、年末年始（12/27〜1/4）、館内燻蒸期間（12月上旬）。ゴールデンウィーク期間、夏休み期間は無休 ¥ 一般400円、大学生以下無料、障がい者手帳の提示で本人および介助者2名まで無料、70歳以上無料 富山地方鉄道立山駅から徒歩1分 北陸自動車道立山ICから40分

column
-07-

砂防の話

平地が少なく地震が多く、台風の通り道でもある日本は、さまざまな自然災害と闘ってきました。砂防と呼ばれる土砂災害についても防止・軽減するための技術が発展し、現在「sabo」という言葉は世界でも通じるものとなっているのだとか。

砂防に関する施設は全国に点在

NPO土砂災害防止広報センターがまとめたウェブサイトには、火山や水害、治水に関する施設も含まれ、各地のフィールドミュージアムも紹介されています。行政の砂防対策は重要ですが、一人ひとりの防災意識も大切。時にはこのような施設で学んでみてはいかがでしょう。

【NPO土砂災害防止広報センター】http://www.sabopc.or.jp。砂防に関する資料館の紹介は、p.58、p.62にも。

長崎・普賢岳噴火時の土石流被災家屋11棟がそのまま保存されている土石流被災家屋保存公園。

砂防が必要であるとされる砂防指定地域の看板。後ろには砂防堰堤があります。

砂防のための技術

主な砂防設備には、護岸工事や土砂の流出を防ぎ、岸や川底が削られないようにする砂防ダム、砂防堰堤、山腹をコンクリートで固めたり、排水工事を施して木を植えたりして山崩れを防ぐ方法などがあります。いずれも大規模な土木工事を必要とし、自然に手を加えるものなので、工事により新たな災害が起きないよう綿密な調査や注意が必要です。

05
nagano
長野県

親子で賑わう、松本の自然を学べる博物館

松本市《マツモトシ》　山と自然博物館《ヤマトシゼンハクブツカン》

松本市のアルプス公園にある山と自然博物館は、２００７年５月に開館した、国土交通省の砂防無線中継所との複合施設です。

この博物館は「市民みんながかかわれる博物館」「市民みんなが学びあう博物館」「市民みんなで育てる博物館」という３つのキャッチフレーズを掲げ、そのとおりに親しまれています。親子連れをメインの対象者として、市民はもちろん山や自然を愛する人々に松本という地の豊かさを紹介しています。

１階には巨人伝説にある

高台に位置するアルプス公園は広々して自然が豊か。山と自然博物館だけでなく、小鳥と小動物の森や、古民家体験学習施設ほか、いろいろな楽しみがあります。

「デーラボッチ」をイメージしたキャラクターと、松本年中行事スゴロクを中心に展示。四季の水辺・山岳・山・里のコーナーがあり、自然を身近に感じられます。

2階展示室は、アルプス公園に関する自然情報、明治から昭和までの登山道具や昆虫標本が展示されています。

5階には無料展望室があり、北アルプスをはじめとする山並みが一望できます。また、併設の砂防学習館では、上高地などのライブ映像も見ることができます。

memo

愛嬌たっぷり緑の巨人

2007年に前身のアルプス山岳館からリニューアルオープンした際、アンケートで選ばれたキャラクター。全国各地で山や湖を造ったという伝承を残す大男「デーラボッチ」がモチーフとされており、「デーラくん」の愛称で親しまれています。ひざを抱えて座っている姿で高さ2メートルを超える巨体。子どもたちの人気者となっています。

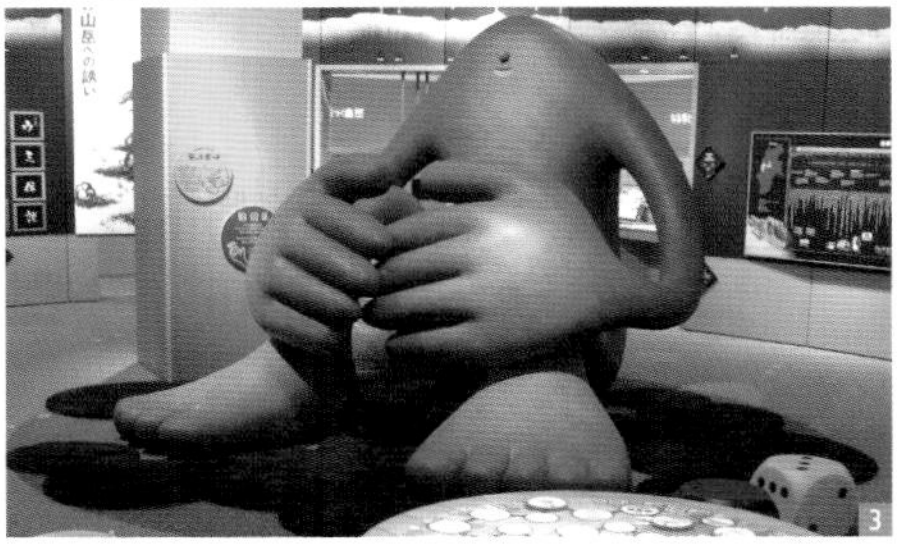

1 チョウだけでこんなに。自然に対する親しみや興味がわく企画展やイベントも展開しています。 2 緑の山をイメージした「デーラボッチ(ダイダラボッチ)」がモチーフの「デーラくん」。

展望室から見られる美しい眺望も自慢。

DATA

〒松本市蟻ヶ崎2455-1 ☎0263-38-0012 🌐matsu-haku.com/yamatoshizen 🕒9:00～17:00(入館は16:30まで) 休 月曜日(祝日の場合は翌日)、年末年始(12月29日～1月3日) ¥ 大人310円、中学生以下は無料、障がい者手帳の提示で本人および介助者1名が無料 🚌 JR松本駅からバス20分、徒歩5分 🚗 長野自動車道松本ICから20分

06
nagano
長野県

山にまつわる国内外の貴重な書物を閲覧

信州大学附属図書館《シンシュウダイガクフゾクトショカン》

研究を目的としていれば、原則、誰でも利用できる図書館です。もっとも注目すべきは、小谷《こたに》隆一《りゅういち》氏が寄贈した登山と山に関する国内外の資料約8000冊の蔵書（小谷コレクション）。

小谷氏は1924年、京都市生まれの実業家で、1965年にカラコルム・ディラン峰の登頂に挑み、登山家としても有名です。小谷氏が信州大学の前身校のひとつ、旧制松本高等学校のOBであることから、所蔵する貴重な資料が信州大学山岳科学総合研究所へ寄贈されました。

信州大学附属図書館は長野県に全6館ありますが、
小谷コレクションが見られるのは、松本にある中央図書館です。

コレクションの中には、19世紀にシュラーギントワイト3兄弟がプロシア王の後援を得て、インド及び高地アジアを探検した調査報告書と大図録『シュラーギントワイト図版』や、日本近代登山の父、ウェストンのサイン入り著書などもあり、貴重なものが多数揃っています。

和書や古地図は「近世日本山岳関係データベース」で公開。さらなるコレクションの拡充を図ると共に、ウェブ展などの積極的な情報発信も行っています。

works

山岳関係の貴重なデータベース

国内有数の山岳関係コレクションである小谷コレクション。『山と書物』などの著作がある小林義正の「高嶺文庫」を譲り受けた小谷氏が、より完全なものを目指して蒐集を続けたものです。30年余後に信州大学へと受け継がれたコレクションは、さらなる拡充が図られ、データベース化などを通して広く社会に還元されています。

1 貴重資料室で保管される小谷コレクション。利用にあたっては事前連絡が必要です。 2 実業家であり、登山家としても知られた小谷隆一氏。 3 ドイツのシュラーギントワイト3兄弟が遺した『2_Atlas of India and High Asia』。

『名山図譜』など貴重な蔵書や資料がウェブのデータベースで検索・閲覧できます。

DATA

松本市旭3-1-1 0263-37-2174 www.shinshu-u.ac.jp/institution/library/matsumoto 月曜から金曜は8:45〜22:00、土曜・日曜・祝日は10:00〜19:00を基本として大学の行事や長期休暇などにより変更あり 休 一斉夏季休暇の期間、年末年始、図書館長が特に休館と認めた日 ¥ 無料 JR松本駅からバス15分 長野自動車道松本ICから3分

※2021年5月現在、コロナ対策のため学外者の入館は不可。利用に関しては要問い合わせ

07
nagano
長野県

古き良きエリート教育のバンカラ文化を振り返る

旧制高等学校記念館《キュウセイコウトウガッコウキネンカン》

1 貴重な当時の青春の1コマ。 2 洋風板張りの本館も当時の姿をとどめています。

旧制高等学校は１８８６年から１９５０年まで続いた、帝国大学への進学特権を与えられた学校制度で、各高等学校ではエリート教育が行われました。その中のひとつ、旧制松本高等学校の校舎を利用して、１９８１年７月、学校関係の資料展示を目的に「松本高等学校記念館」が開館。

その後、他の旧制高等学校の資料の散逸が心配されるようになり、全国の旧制高等学校の資料も収集することになりました。そうして１９９３年７月に「旧制高等学校記念館」として新たに開館する運

エリート教育が行われた当時の校舎を使用。堂々たる煉瓦造りです。

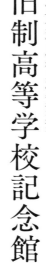

3 松本のシンボル、国宝・松本城。 4 バンカラ服の着用体験などもできるユニークな展示。

びとなりました。

2013年4月には、開館20周年を迎えてリニューアルオープン。バンカラ服の着用体験コーナーや映像シアターなど、初めて旧制高等学校の文化を知る人でも親しめるようにと、常設展示も含め一新されました。

常設展示室は、建物の2階と3階が使われています。2階の全国の旧制高等学校と松本高等学校の展示では、写真や試験問題、学生服、学生が遺した落書きなどの資料を展示しており、当時の学生生活がうかがえます。3階のテーマ展示では、旧制高等学校卒業の著名人を「政治」や「文芸」などといったテーマごとに紹介しています。

human

松本高等学校が誇る芥川賞作家

旧制松本高等学校の第27回卒業生である北 杜夫（本名：斎藤宗吉）。歌人・斎藤茂吉を父にもち、精神科医として活躍しながら文筆業を並行し、人気作家となりました。『夜と霧の隅で』にて、1960年に第43回芥川賞を受賞。『どくとるマンボウ青春記』では自身の学生時代をユーモアたっぷりに振り返っています。

高等学校といっても、学生は10代後半から20歳前後、今でいう大学生、専門学校生の年代。未来を夢見る若者たちの息遣いが聞こえてくるようです。

DATA

松本市県3-1-1 0263-35-6226 matsu-haku.com/koutougakkou 9:00〜17:00(入館は16:30まで) 休 月曜日(祝日の場合は翌日)、年末年始(12月29日〜1月3日) ¥ 大人300円、小・中学生は無料、障がい者手帳の提示で本人および介助者1名が無料 JR松本駅からバス10分、徒歩4分 長野自動車道松本ICから20分

08
nagano
長野県

「山博《さんぱく》」の愛称で親しまれる日本初の山岳博物館

市立大町山岳博物館《シリツオオマチサンガクハクブツカン》

どっしりとした存在感のある建物は、
大町のランドマークのひとつです。

２００２年に、自然と人とが共生する町づくりとして「山岳文化都市宣言」を行なった大町市。〝山博《さんぱく》〟の愛称で親しまれる大町山岳博物館は、その中心施設として「北アルプスの自然と人」をテーマに１９５１年に誕生しました。「山と人とのかかわり」をメインとした常設展示をしていて、山岳の他にも、動物・植物・地質・歴史・民俗・美術など各分野の資料を収蔵しています。

１階には実際に大正時代に使われていた山小屋を再現した「初代大沢小屋」があり、

1 人が山に惹かれ、頂上を目指した歴史を感じさせる展示室。 2 来館者の多くがたっぷり時間をすごす3階の展望ラウンジ。 3 登山はもちろん、山と共に暮らす人々の文化を紐解く展示も充実。

展示室には臨場感あふれる山の光景が広がります。「先鋭的な登山への挑戦」コーナーには、井上靖《いのうえやすし》の長編小説『氷壁』のモチーフとなったナイロンザイル事件（103ページ）の「切れたザイル」の実物や、同じく『氷壁』の題材のひとつであり、壮絶な遺書『風雪のビヴァーク』で知られる登山家の松濤明《まつなみあきら》が、遭難のすえに凍死する間際までメモを書き綴った手帳も展示されています。

3階の展望室では、眼前に広がる北アルプスの光景、連なる峰々の美しく厳しい稜線に目を奪われます。

敷地内には山岳に関する書籍を保管する「山岳図書資料館」があり、野外には動植物を飼育・栽培する付属園を併設。特別天然記念物のニホンカモシカやライチョウ、高山植物の女王と呼ばれるコマクサなども。

併設のカフェの名称である「もるげんろーと」はドイツ語で「朝焼け」のこと。「ロート」は「赤い」という意味で、博物館前の高台からは、北アルプスが真っ赤に染まる朝焼けの光景を見ることができます。

1 併設の付属園で保護している特別天然記念物のライチョウ。夏は岩肌に溶け込む茶まだらの羽が、冬は雪に合わせて真っ白に。2 カフェではライチョウ形のクッキーが人気。コーヒーがつく「もるげんろーとセット」でどうぞ。3 動物の保護を目的とした飼育、植物の栽培を行う付属園。

human

登山案内人の資質向上を目指し

大町市の登山家・歌人である百瀬慎太郎。1917年、日本初の宗教色を帯びない山岳ガイド組織「大町登山案内者組合」を設立。大町山岳博物館では、2017年に組合創立100周年を記念して「北アルプスの百年 百瀬慎太郎と登山案内人たち」を開催。「山を想えば人恋し、人を想えば山恋し」のフレーズは、今でも親しまれています。

大町の偉人、百瀬慎太郎（中央・和装）。山岳ガイド協会を組織して、登山文化を広め、登山の安全性を高めました。

DATA

〒大町市大町8056-1 ☎0261-22-0211 🌐www.omachi-sanpaku.com 🕘9:00～17:00(入館は16:30まで) 休 月曜日(祝日は開館)、祝日の翌日、7月・8月は無休 ¥ 大人450円、高校生は350円、小・中学生は200円。障がい者手帳・療育手帳・精神障がい者保健福祉手帳の提示で本人と介助者1名が無料。市内在住者、在学者には各種割引あり 🚃JR信濃大町駅から車で5分 🚗長野自動車道安曇野ICから40分

伊勢宮ゲレンデのすぐ下の親しみある建物。

世界と日本のスキーの歴史をたどる貴重な資料を展示

日本スキー博物館《ニホンスキーハクブツカン》

　1972年に開館した世界的にも珍しいスキー専門の博物館。教会のような外観が特徴で、周辺にはヨーロッパの山小屋のような建物が点在しています。

　アジア諸国で使われていた古いスキー道具の展示や、スキーの発展や道具の変遷を解説する歴史的文献、長野冬季オリンピックやパラリンピックの資料も豊富です。高松宮殿下が所有されていたスキー板の実物展示も。貴重な展示で日本と世界のスキーの歴史を学べます。

1 オリンピックのメダルや記念品なども多数展示。 2 スキーや野沢温泉の歴史をたどる貴重な企画展も。

DATA

下高井郡野沢温泉村豊郷8270 0269-85-3418 www.nozawaski.com/summer/skimuseum 9:00～16:00(入館は15:30まで) 休 木曜日(祝日の場合は翌日) ¥ 大人300円、小人150円、野沢温泉の宿泊者は大人240円、小人120円、障がい者手帳の提示で大人150円、小人80円 JR飯山駅からバスで25分、徒歩20分 上信越自動車道豊田飯山ICから車で25分

10
nagano
長野県

山とスキーと共に暮らした白馬村の人々の生き方を知る

白馬・山とスキーの総合資料館《ハクバ・ヤマトスキーノソウゴウシリョウカン》

スキー王国らしい充実の資料館。スキーの歴史、道具の変遷や白馬とスキー愛好国とのつながりなど、さまざまな視点の展示を観ることができます。

日本アルプスの山間部に位置する長野県・白馬村は、山とスキーと共に生きる人々が暮らす村。白馬の観光インフォメーションセンターに隣接する資料館では、山とスキーにまつわる先人達の知恵と創意の工夫の歴史と合わせて、山岳リゾート地の未来を考える展示内容を鑑賞することができます。

館内は4つの展示内容に分かれ、一番の目玉は山とスキーにまつわる知恵と創意を、過去・現在・未来の3つの視点で解説する「山とスキーの企画展示室」。白馬が山岳地帯

1 2 白馬の自然についての展示は、興味深いことがたくさん。白馬の歴史＝日本の山岳スポーツやスノースポーツの歴史の一端であることを実感します。 3 福岡孝行記念室。氏の義父はレルヒ少佐(p.50) の通訳を担当した人物。義父から譲り受けた貴重なスキー道具なども展示されています。

からスキーのメッカへ移行する過程を、16のブースで紹介しています。また、八方尾根スキー場を拓いた福岡孝行《ふくおかたかゆき》の足跡をたどる「福岡孝行記念室」も、その偉業を紐解く展示として充実の内容です。

１９９８年の長野オリンピックではアルペンスキーの会場となり、スノースポーツの各種大会会場としても知られる白馬。熱い闘いのメモリアルも豊富に揃い、ドラマを感じさせます。

山岳・スキー関連の書籍やスキー雑誌のバックナンバーなど1万冊以上を収蔵する「山とスキーの図書室」、白馬の人々の暮らしぶりについて、多数の農具や近くの諏訪神社にまつわる品々によって解説する「民俗コーナー」など、盛りだくさんの展示内容。圧倒的な情報量に驚くと共に、山やスキー、白馬が好きな人ならわくわくさせられるはず。

スキーの歴史をただ学ぶだけではなく、山岳リゾート地として今後、白馬村が考えていくべき観光業や農林業の未来にもふれた、温故知新を感じられる場所となっています。

1 世界的大会のメッカ白馬でも、長野オリンピックは特別の存在。記念の品がにぎやかに展示されています。 2 白馬の歴史そのものといわれるオーストリアとの交流コーナー。 3 雪国の暮らしぶりの展示も。

human

八方尾根スキー場の生みの親

八方尾根スキー場の誕生のきっかけをつくったのは、法政大学独語教授の福岡孝行氏。太平洋戦争中に現在の白馬村八方に疎開した際、理想的なスキーコースとなり得る場所を発見、村の青年らを巻き込みスキーコースの開拓に着手します。1946年にリーゼンスラロームコースが完成し、のちにその一部が長野オリンピックでも使用されました。

八方文化会館の2階。スキーの行き帰りに立ち寄らなければもったいない充実の施設です。

DATA

北安曇郡白馬村北城八方文化会館2階 0261-72-2477(八方文化会館) www.happo-one.jp/history/museum 10:00～16:30(入館は16:00まで) 休 水曜日 ¥ 大人300円、高校生200円、中学生以下無料 JR白馬駅から徒歩4分 上信越自動車道長野ICから車で60分

column

-08-

山岳事故防止への取り組み

山はいろいろな楽しみ、喜びを与えてくれるもの。同時に人智の及ばぬ自然の厳しさをもっているもの。自分の体力と知識、装備を見極め、すべてにおいて無理のない山でなければ入るべからず。白馬を例にとって、特に冬山での山岳事故を防止する取り組みについて紹介しましょう。

白馬に見る、安心、安全な登山への情熱と創意

ウィンタースポーツのメッカである白馬山麓では、特に冬山の事故防止対策が進んでいます。北アルプス北部に設置された２機の気象観測装置から、気象データとスキー場パトロール隊の情報提供をもとに、地元山岳ガイド、雪崩研究者、山岳救助隊など複数人が雪崩危険度を５段階評価してウェブサイト、携帯サイトに公開し、事故防止に役立てています。

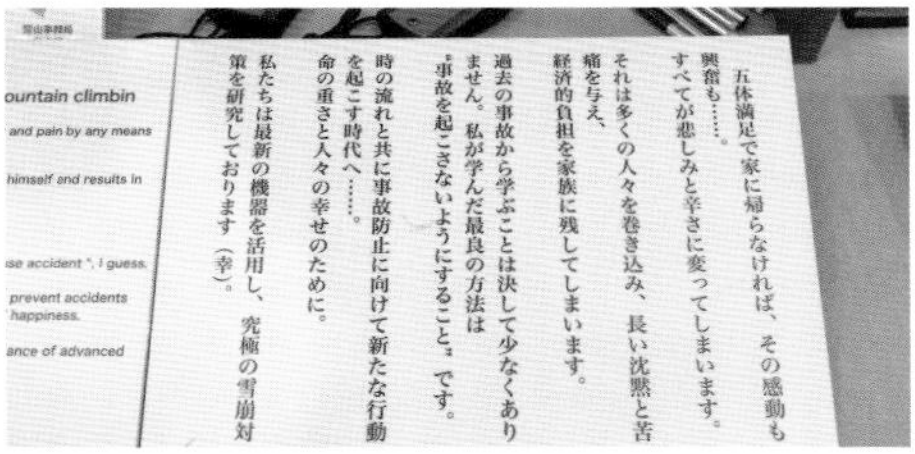

白馬･山とスキーの総合資料館にある雪崩防止への試みについての展示。雪山での事故を１件でも減らすために、日夜研究と努力が続けられている歴史があります。

1 三種の神器は下部の中央あたりに。2 現在は天気予報も正確になり連絡手段も進化していますが、それでもなお、思わぬ事故は起こります。自然は人間の手にはおえない、これだけは忘れずに。

冬山における三種の神器

白馬・山とスキーの総合資料館には、遭難救助や雪崩防止などの取り組みについての展示コーナーも。冬山における三種の神器の実物も展示されています。雪に埋没した時に、電波を出して自分の位置を知らせるビーコン。雪に挿して雪中の埋没者を探すゾンデ。そして雪を掘るためのシャベル。雪山救助用には、軽量でコンパクトに収納できるものが多く使われるそうです。

富士の自然に関する展示がメインの北館展示室。

11
yamanashi
山梨県

富士山世界遺産センター《フジサンセカイイサンセンター》

富士山を守り、継承していく富士山愛にあふれたセンター

2013年6月、世界遺産に登録された富士山。その美しい姿や、富士山に息づく文化を後世に継承するため、富士山の自然や歴史、文化に関する展示を行う山梨県立富士ビジターセンターがありました。世界遺産登録に伴い、富士山の価値を国内外にわかりやすく伝えるために、2016年6月、南館を新設。保全活動や調査研究の拠点ともなる施設として山梨県立富士山世界遺産センターが開館しました。

同センターは、活動にあたって3つのコンセプトを掲げて

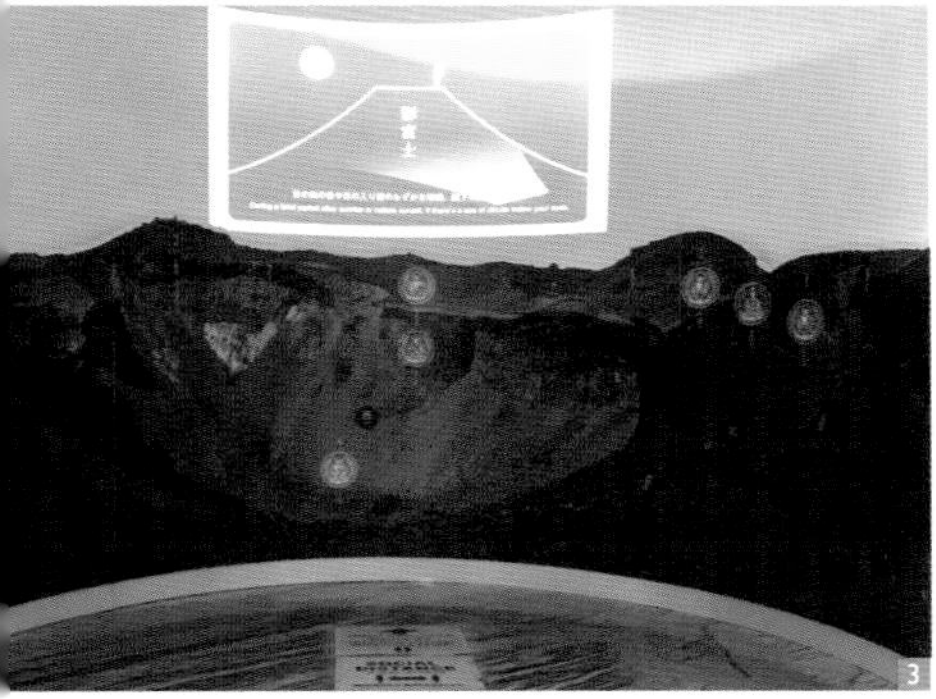

1 和紙でデザインされた全長15mの富士山に、照明演出とサウンドスケープの演出で四季や1日の時間の流れを感じさせます。 2 約1万年前から現在に至るまでの歴史を伝える富士山のあゆみ。 3 富士山頂を1周する「八葉めぐり」をはじめ、巡拝の姿を伝える展示も充実。

います。富士山のもつ多様な自然美を感じながら、世界遺産の価値をわかりやすく紹介する中核的施設であること。国立公園内の施設として、自然景観に調和した外観や、環境負荷の低減など、環境に配慮した施設とすること。主要な展望地点から見た富士山の眺望を活かしながら、既存施設との調和に配慮することです。これらを核に、日本が誇る富士山の多様な魅力を伝える活動を行っています。

センターは北館と南館のふたつの建物からなり、北館は「自然」を中心とした展示を、南館は「文化」を中心とした展示となっています。北館は2021年3月にリニューアルされ、富士山の成り立ちや富士山に生きる動植物、噴火と信仰などをわかりやすく紹介しています。

館内には富士山世界遺産ガイド会による無料館内ガイドが。また鳥の声や富士にまつわる神事など、富士山を取り巻く音の世界を楽しめる「富嶽音界マップ」、アプリ「ふじめぐり」など、館内はもちろん、ウェブで世界遺産富士山を体験できるプログラムも充実しています。

1 世界文化遺産富士山の全体像を、自然と人との関わりの視点から俯瞰できます。 2 富士中腹に残る信仰の道「御中道」をイメージした回廊や「遥拝所」では、独特な自然環境と信仰をはじめとした人々の関わりを映像や音、光で紹介。

works

富士北麓参詣曼荼羅《ふじほくろくさんけいまんだら》

富士山世界遺産センターの開館にあたり、現代日本を代表する画家・山口晃により描かれたオリジナル作品が、南館のシンボル絵画となっています。北麓から望む富士山を世界遺産の構成資産と共に描いたもので、東京スカイツリーなどの名所や、画家が取材中に出会った「ネコのミーちゃん」が描き込まれるなど、遊び心満載の作品です。

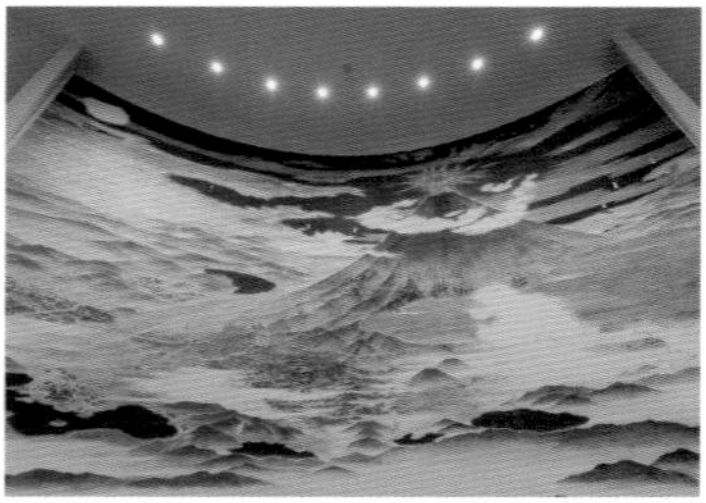

センターの開館にあたり、描かれたシンボル絵画〈富士北麓参詣曼荼羅〉は南館1階に（左のコラム参照）。

DATA

〒南都留郡富士河口湖町船津6663-1 ☎0555-72-0259 www.fujisan-whc.jp 9:00〜17:00(7月〜8月 8:30〜18:00、12月〜2月 9:00〜16:30、入館は閉館時間の30分前まで) 休 北館は年中無休、南館は毎月第4火曜日が休館(祝日の場合は翌日) ¥ 無料 JR河口湖駅からバスで5分、徒歩1分 中央自動車道河口湖ICから1分

column -09-

富士山に関する施設

日本一の山として日本はもちろん世界の人々に愛される富士山。高さだけでなくその優美な姿や、活火山であるという隠し持った荒々しさなど、人々を惹きつける要素が満載です。そんな富士山をより深く知るための施設はふたつの富士山世界遺産センター（p.76・86）以外にもいろいろ。

足元に広がる雲海の光景は登山の醍醐味。

夏の登山道は渋滞することも。早朝の山頂は御来光を待つ人で混み合います。

自然や歴史文化などを紹介する施設

まずは山梨側の施設から。富士山を崇める富士講を中心に富士山の文化的背景から自然まで学べる「ふじさんミュージアム」。2000分の1のスケールの富士山模型にプロジェクションマッピングを投影するなどの最新設備が揃っています。屋外に生体観察園を備えるのは「山梨県富士山科学研究所」。1999年に撤去された山頂のレーダードームを移設した「富士山レーダードーム館」は体感型の展示も人気（いずれも富士吉田市）。

静岡には、富士山の洞窟（ジオラマ）探検ができる「田貫湖ふれあい自然塾」（富士宮市）や、富士山を360度から望むダイナミックな天空シアターが人気の「富士山樹空の森」（御殿場市）、富士山の成り立ち、歴史、動植物、それにまつわる人々の生活などを紹介する「裾野市立富士山資料館」などがあります。

環境省・山梨県・静岡県が協働で運営する「富士登山オフィシャルサイト（http://www.fujisan-climb.jp）」の「富士山を知る」ページには、これらの情報がまとまっている他、富士登山に必要な情報が集結。リアルタイムの情報発信も積極的に行なっています。

12
yamanashi
山梨県

郷土の自然環境と、そこで暮らす人々の関わりの歴史を探す

山梨県立博物館《ヤマナシケンリツハクブツカン》

山梨の旧名「甲斐」とミュージアムを合わせて「かいじあむ」の呼び名で親しまれています。
歴史を鑑み「交流する」「成長する」博物館として、スタッフは展示交流員と呼ばれています。

富士山を擁する山梨県は、山々に囲まれた自然豊かな土地です。海こそないものの、中心部である甲府は静岡県の駿河湾と街道で結ばれ、古くから水運、陸運とともに要となる場所でもありました。

そのため、山梨といえばすぐに思い浮かぶ武田信玄の時代の後も、徳川家に重要な土地として認識されてきた歴史をもちます。都に近くありながら、急峻な山々が強固な守りとなっていることで、その存在感は現代以上に大きかったのでしょう。

山に囲まれ自然豊かという

1 自然の中で育まれた暮らしや文化を19のテーマに沿って紹介する鑑賞・学習型展示。時代順ではないので、興味に沿って自由動線で見て回れます。 2 山岳信仰のコーナー。県内各地にその足跡や文化財が残っています。 3 1万2600分の1の縮尺で山梨を表す立体表示。中を実際に歩ける人気の展示です。

山梨の特徴から、県立博物館も、山や自然と人々の関わりを紐解くことを大きなテーマのひとつとしています。山に特化しているとは謳わない総合的な展示でありながら、その根底に山とのつながりがある。山梨だけでなく、日本人の生活と自然環境を窺い知ることができる、ユニークな展示となっています。

収蔵品は約27万点。原則2ヵ月に1回展示替えを行い、さまざまな観点から山梨という土地の魅力や役割を伝える工夫がされています。子どもから大人まで楽しめる体感型の展示も豊富で、受け身だけでない楽しみも。多岐にわたる展示は、それぞれ見応えがありながら関連性があり、思わずひきこまれてしまいます。

館内には、甲府盆地と南アルプスの山々を眺められる展望展示も。また、約6万5000㎡の広大な敷地には、山並みを見渡せる広々とした庭があり、郷土や季節の行事にまつわるイベントも開催されます。

1 原則・土曜日の11時から展示交流員によるガイドツアーを実施。 2 臨場感のあるジオラマでの展示や、映像・情報機器を使用した展示など、体感できる工夫が随所に。今、注目を集める「災いと人々」も常設展示のテーマのひとつ。 3 山梨を語る上で欠かせない果樹生産やワイン醸造の歴史展示も。

memo

野外も展示スペース

博物館の庭には約160種、4万本の草木が植えられています。日本古来の樹木にこだわって形成された緑豊かな木立の植物には、それぞれの名前や特徴を記したプレートが。人と自然の関わりを紐解くコンセプトはここにも表れており、解説プレートにはその植物が私たちの生活にどのように関わっているかが書き添えられています。

(2021年5月現在、体感型の展示の多くは、コロナ禍において休止されています)。

山梨への理解を深める資料が豊富な資料閲覧室。

DATA

〒笛吹市御坂町成田1501-1 ☎055-261-2631 🌐www.museum.pref.yamanashi.jp/index.html 🕘9:00～17:00(入館は16:30まで) 休 火曜日(祝日の場合は翌日)、祝日の翌日(土曜日が祝日の場合、翌日の日曜日は開館)、年末年始(12月29日～1月1日) ¥ 一般520円、大学生220円、小学生・中学生・高校生・特別支援学校の児童・生徒と準ずる方は無料。65歳以上、障がい者手帳の提示で本人と介助者が無料 🚉JR石和温泉駅からバスで10分 🚗中央自動車道一宮御坂ICから8分

column
-10-

山と自然と博物館

博物館の定義は広く、ルーツは東大寺の正倉院で書物などが展示されたことといわれます。本書で個々に紹介する山岳博物館の他、地球のこと、自然のこと、自然と人との関わりなどについて展示する博物館が全国にあります。

東京国立科学博物館。上野公園内には国立博物館や国立西洋美術館、上野の森美術館、東京都美術館など、多数の施設が。

泊まれる博物館「奥出雲多根自然博物館」。

わざわざ行きたい博物館

自然史博物館、自然科学博物館と名が付く博物館は全国に点在しています。東京の2大科学博物館といえば、まず上野公園内にある「東京国立科学博物館」。明治10年に創立した歴史ある博物館です。400万超のコレクションを誇り、地球と動植物の生命の関わり、日本列島の生い立ち、人類の進化の道のりなどが学べます。お台場の「日本科学未来館」は、最先端の科学に触れられる博物館。日本初の全天周の映像システム「立体視プラネタリウム」も人気。地球と生命と環境のつながりから驚きの最新ロボット工学まで、幅広い世界を体感できます。

県立博物館では「ミュージアムパーク 茨城県自然博物館」「群馬県立自然史博物館」「埼玉県立自然の博物館」「新潟県立自然科学館」「和歌山県立自然博物館」「兵庫県立人と自然の博物館」など。市立の施設も多く、日光や観音崎といった、観光スポットの地名を冠した自然博物館もあります。多くは土地に根ざした動植物、地形についての展示が中心なので、立ち寄れば散策がいっそう楽しめるはず。

ユニークなのは泊まれる博物館。宇宙の進化と生命の歴史がテーマの「奥出雲多根自然博物館」(島根県)は、19の宿泊室を備え、宿泊者はナイトミュージアムが楽しめます。

太宰治が眺めた富士山の絶景を望む茶屋

御坂峠天下茶屋《ミサカトウゲテンカチャヤ》　太宰治文学記念室《ダザイオサムブンガクキネンシツ》

1 茶屋の歩みと、太宰をはじめとするゆかりの人々との思い出が並びます。
2 隧道出口からの眺め。左が茶庵という素晴らしいロケーション。

富士河口湖町と笛吹市御坂町にまたがる御坂峠。鎌倉縦貫御坂路のルート上に位置し、1931年に御坂隧道《ずいどう》のトンネルが開通するまでは、富士吉田側と甲府盆地側の行き来にはこの峠を徒歩で越えなければいけませんでした。富士河口湖側のトンネル出口付近からは富士山と河口湖の両方を眺められるとあって、絶景スポットとしても知られています。

　1934年に、この地に店を構えた天下茶屋。木造2階建ての小さな茶屋で、峠を行き交う旅人に食事を提供して

創業90年を間近に控える歴史ある茶屋は、御坂隧道からすぐ。
御坂町側から河口湖町側に抜けてくると、隧道を出たとたん富士の絶景が広がります。

3 文豪の素顔を感じさせる貴重な写真も。 4 改修時に備品や床柱を保存。今の茶屋に展示しています。

いたのが茶屋のはじまりでした。店の正面に絶景が広がるロケーションが新聞で取り上げられるなど、徐々に有名に。

　井伏鱒二、太宰治をはじめとする多くの文人が訪れたことでも知られます。「富士には月見草がよく似合う」の一説で知られる太宰治の小説『富嶽百景《ふごくひゃっけい》』は、この茶屋に3ヵ月滞在して執筆した作品。茶屋の2階を記念室として当時の貴重な資料の数々を公開しています。1階の売店にも太宰にちなんだ品が並びます。

　文豪も味わった、甲州の郷土料理、ほうとう鍋をはじめ、いもだんごや木の実みそ田楽、甘酒など、昔ながらの味を、絶景を眺めながら楽しむことができます。

memo

名作の生まれた部屋を再現

太宰治文学記念室には、富士山と河口湖を一望できる6畳間が。改修を経た後も、太宰が逗留していた部屋が復元されています。太宰が実際に使用していたという机や火鉢が置かれているほか、床柱は初代の天下茶屋で使われていたもの。『富嶽百景』『人間失格』といった代表作の初版本やパネルなどの展示も見られます。

ほうとう鍋、木の実みそ田楽やいもだんごなど、郷土の味がいろいろ。

DATA

〒南都留郡富士河口湖町河口2739 天下茶屋2階 ☎0555-76-6659 www.tenkachaya.jp 10:00～17:00(入館は16:30まで) 休 4月上旬～12月上旬は無休(冬季は休業) ¥ 天下茶屋の利用料のみ 富士急行河口湖駅からバスで30分 中央自動車道河口湖ICから30分

設計は建築界のノーベル賞といわれるプリツカー賞の受賞や、
フランス芸術文化勲章最高位コマンドゥールの受章歴をもつ坂茂氏。

14
shizuoka
静岡県

鑑賞も、体感も、感動も。国内外に富士山を多角的に紹介する

静岡県富士山世界遺産センター《シズオカケンフジサンセカイイサンセンター》

富士山のユネスコ世界文化遺産への正式登録名は「富士山―信仰の対象と芸術の源泉」。豊かな自然はもちろん、受け継がれてきた文化を後世に守り伝えていくための拠点として、２０１７年12月にオープンしました。

　富士山本宮《ほんぐう》浅間《せんげん》大社《たいしゃ》の鳥居に接して建つセンターは、富士ヒノキを組み上げた美しいデザイン。逆円錐形のフォルムは、前面の水盤に映り込むと富士山の姿になるというユニークな設計です。展示空間も高さ14ｍ、底部が直径10ｍの円形から長径46ｍもの楕円

1 タイムラプスの映像を見ながら、193m のらせんスロープを上ることで、静岡県側の富士山の特徴である海からの富士登山を擬似体験。 2 高山帯から駿河湾までの生態系を美しく親しみやすく紹介する「育む山」コーナー。 3 5階の展望ホールには、富士山の見事な眺望が広がります。

形に広がる逆さ富士型の空間です。

「永く守る」「楽しく伝える」「広く交わる」「深く究める」ことをコンセプトに、展示や映像を通して富士山の自然や歴史、文化について学べます。展示棟は木格子で覆われた逆円錐形で、その内部はらせん状のスロープというユニークな造りです。壁面に登山道の映像が投影され、富士登山を擬似体験できる仕組みです。

登拝する山、荒ぶる山、聖なる山、美しき山、育む山、受け継ぐ山など、コンセプトに沿って、県産木材がふんだんに使われた憩いの空間での展示をゆったり満喫することができます。

最上階の展示スペースからは、絵のように端正な富士山の眺めに思わず歓声を上げてしまいそう。富士山についての書籍が揃う富士山ライブラリー、無料で利用できる開放的な憩いスペースもゆったりしています。センター限定の富士山グッズなどが揃うミュージアムショップや、富士山の湧水を使用したコーヒーなどが楽しめるカフェでひと息もおすすめです。

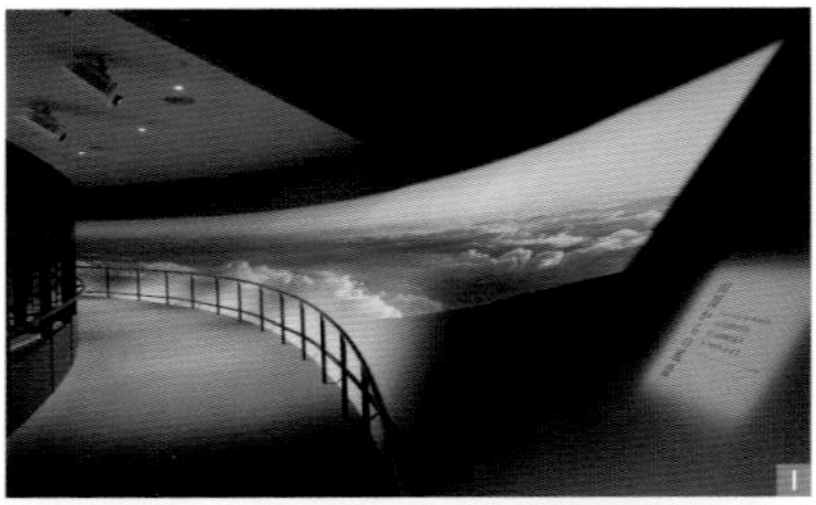

1 スロープを上り、富士山頂の気分を味わって。出かけてみたらあいにくの雨という時もお楽しみがたくさん。 2 3776m の富士山ですが、駿河湾の海底から測ると 6000m を超えるのだとか。そこから生まれる生物の多様性を紹介。

works

全国に点在する浅間神社

全国に 1300 余ともそれ以上ともいわれる浅間神社の総本宮とされるのが、富士山本宮浅間大社。その鳥居は、世界遺産センターと隣接しています。神社によって「あさま」と「せんげん」 両方の読み方がされますが、主祭神「このはなさくやひめのみこと」の別称が「あさまのおおかみ(浅間大神)」であり、もとは「あさま」だったとされています。

さまざまな信仰を生み出し、日本人の心のよりどころとなった歴史を辿る「聖なる山」コーナー。

DATA

富士宮市宮町5-12 0544-21-3776 mtfuji-whc.jp 9:00～17:00(7月～8月 9:00～18:00、入館は閉館時間の30分前まで) 休 第3火曜（祝日の場合は翌日)、施設点検日、年末年始 ¥ 一般300円、15歳以下と70歳以上、中学生、高校生、大学生とそれに準じる者、障がい者とその介護者は無料（企画展はその都度異なる） JR富士宮駅から徒歩8分 新東名高速道路新富士ICから10分

column
-11-

富士山の言葉

高さが日本一というだけでなく、その姿形の美しさも群を抜く山。霊山として信仰の対象であり、浮世絵の時代から芸術の源泉でもありました。「蝦夷富士」「出羽富士」ほか、ご当地富士・郷土富士も全国に点在。日本を象徴する山に対する文豪の表現を紹介します。

撮影：土肥裕司　八ヶ岳横断道からの薄暮の富士

▼東京の、アパートの窓から見る富士は、くるしい。冬には、はっきりよく見える。小さい、真白い三角が、地平線にちょこんと出ていて、それが富士だ。なんのことはない、クリスマスの飾り菓子である。しかも左のほうに、肩が傾いて心細く、船尾のほうからだんだん沈没しかけてゆく軍艦の姿に似ている。

▼富士は、のっそり黙って立っていた。偉いなあ、と思った。（中略）富士には、かなはないと思った。念々と動く自分の愛憎が恥づかしく、富士は、やっぱり偉い、と思った。

――天下茶屋（84ページ）に滞在して『富嶽百景』を書いた太宰治の表現。

▼あれが日本一の名物だ。あれよりほかに自慢するものは何もない。ところがその富士山は天然自然に昔からあったものなんだから仕方がない。我々がこしらえたものじゃない。

――夏目漱石『三四郎』の富士山

▼永き日に富士のふくれる思いあり
若草や富士の裾野をせり上がる
寒けれど富士見る旅は羨まし

――富士は短歌や俳句の季語にもなっていて、富士を詠んだ作品は数知れません。五百木瓢亭との共同編集で『富士のよせ書』を発表した正岡子規の作品。

白山信仰と地域の民俗文化を最新技術で展示

白山文化博物館《ハクサンブンカハクブツカン》

1 山自体が祈りの対象とされる白山の文化を伝える展示。
2 貴重な宗教画などが集う文化財展示室。

古くより農民たちから、祖先の霊の宿る聖域として、また水を司る神の御座所として崇められてきた白山。富士山、立山に続き、日本三霊山のひとつにも数えられています。

泰澄《たいちょう》が開山したと伝えられる奥美濃《おくみの》白鳥《しろとり》の地に「白山文化の里」のシンボル施設としてオープンしたのが白山文化博物館です。

館内は、白山にまつわる歴史や文化を4つのテーマに分けて写真と映像で紹介する「テーマ展示室」、各地の史跡や施設を解説する「インフォメーションプラザ」を中心

白山を源とする川のほとりに設けられた三つの馬場（登山道の出発点）と、ゆかりの地をパネルで紹介するインフォメーションプラザ。

3 ミュージアムショップ。祭りに使う花笠の飾りがあちこちに。 4 白山の峰々に見立てた特徴的な外観。

に、文化財展示室、歴史民俗展示室、ミュージアムショップで構成されています。中でも博物館の特色となっているのは、ドーム状の空間に3面300インチの大映像を照射する「登拝体感」。ドラマティックに描かれた白山信仰の精神世界を、博物館にいながらにして体感することができます。

文化財展示室では、貴重な文化財を年数回の展示替えを行いながら紹介しています。たとえば「魂と技術が繋ぐ過去と未来」をテーマに、3Dプリンターによって立体再現された木造の韋駄天《いだてん》と善財童《ぜんざいどう》子《じ》立像を展示するなど、伝統と科学技術を融合させた新たな試みなども積極的にと取り入れています。

memo

開山1300年、白山信仰の歴史

加賀国、越前国、美濃国にまたがる白山信仰。白山から流れる豊富な水によって人々の生活と農業が支えられていたことから、古代より「命をつなぐ親神様」として、山そのものを神体とする山岳信仰が根付いたといわれています。かつて「上り千人、下り千人」といわれるほど賑わった修行登山路には、今も多くの人々が往来します。

毎年1月6日に行われる、長滝白山神社の六日祭。神社は博物館のすぐ近く。白山瀧宝殿や道の駅なども近隣にあり、見どころがたくさんです。

DATA

〒 郡上市白鳥町長滝402-11 ☎ 0575-85-2663 🌐 shirotori-gujo.com/html/kanko/hakubutukan.htm 🕒 9:00〜16:30(入館は16:00まで) 休 火曜日(祝日の場合は翌日)、年末年始 ¥ 大人320円、小・中学生110円 🚃 長良川鉄道北濃駅、白山長滝駅から各徒歩5分 🚗 東海北陸自動車道白鳥ICから25分

背後に山並みを背負い、段々畑が広がるのどかな光景の中に広がる木造大空間。

16
mie
三重県

熊野古道の歴史・文化を伝える壮大な木造の大空間

三重県立《ミエケンリツ》　熊野古道センター《クマノコドウセンター》

熊野古道は世界でもめずらしい道の世界遺産です。登録名称は「紀伊山地の霊場と参詣道」。この施設は三重県が、熊野古道「伊勢路」の世界遺産登録を記念して建設したものです。

建設にあたり、熊野古道にふさわしい木造の建物とするために、尾鷲《おわせ》ひのき135ミリ角無垢材のみで建造されました。モダンでありながら古風な趣も感じさせる、印象的で壮大な木造の大空間を実現。熊野古道と古道周辺地域の情報提供や、地域の人々との交流・振興を図り、運営されています。

熊野古道の三重県内区間である伊勢路とその周辺の自然・歴史・文化をより深く体感することができるビジターセンターとして、野山や海、川など、熊野古道と周辺の豊かな自然を活かした体験学習、熊野古道の歴史や文化講座・講演会などが随時開催されています。

1 周辺環境に溶け込む美しい建物は公共建築賞を受賞。 2 熊野古道、地元の動植物、自然環境などについての幅広い展示のほか、環境保全や古道を歩く際の安全対策なども学べます。 3 凛とした縦格子の清々しさ。交流棟中央の組壁にはトレーサビリティ（原材料の調達、生産、使われ方などを明らかにする仕組）の証として、用材の産地が記されています。 4 伊勢路熊野古道の中でもっとも長く美しい石畳を残すといわれる馬越峠を模した石畳道。

施設は大まかに、交流棟、展示棟、研究収蔵棟の3つに分かれています。

交流棟は人々の憩いの場や体験学習室などがあり、展示棟では常設展示室や映像ホール、より深くテーマを絞った企画展示室があります。

研究収蔵棟には重要文化財対応の特別展示室や、図書資料室があり、熊野古道や東紀州地域のことを学ぶことができます。

熊野古道は三重県と和歌山県をまたぎ、変化に富んだ地形に、全長約170キロメートルにも及んで設けられたコース。他にも各地にビジターセンターや資料館が設けられています。

1 神々しさを感じるような美しい夜景。 2 熊野の自然や動植物、歴史などを展示する常設展示の部屋。その他、より深くテーマを掘り下げた企画展なども注目を集めています。

memo

世界遺産登録された熊野古道

熊野古道は、世界遺産「紀伊山地の霊場と参詣道」の構成資産の一部です。熊野三山に詣でるための道で、代表的なルートが紀伊半島を西回りする「紀伊路」と、東回りの「伊勢路」でした。紀伊路が貴族に多く利用されてきたのに対して、伊勢路はいわば庶民の道。人々はいくつもの険しい峠を越えて憧れの地、熊野をめざしたのです。

館内は完全バリアフリー。観光客を集めると同時に、地域の人々にとっても訪れる機会が多い施設です。

DATA

〒尾鷲市向井12-4 ☎0597-25-2666 kumanokodocenter.com 9：00～17：00(貸館は22：00まで) 休12月31日、1月1日、その他メンテナンス日など ¥無料 JR尾鷲駅からバスで10分 紀勢自動車道尾鷲北ICから10分

column
-12-

ビジターセンターの話

山を含め国立公園の周辺の多くにはビジターセンターが置かれています。名前のとおり、訪れる人のために、その場所をより楽しむためのインフォメーションがある施設です。現在、日本には100ヵ所以上のビジターセンターがあるといわれています。

充実展示や役立ち情報の宝庫

ビジターセンターの主な役割は、地形、地質、動植物を利用者が理解できるように解説、展示すること。案内、解説、体験促進、休憩・避難、調査・研究などの機能があります。国が管轄するものは環境省の管轄ですが、都道府県や民間が設置しているセンターもあり、博物館のような見応えのある展示から、アットホームな案内所までさまざまで多くのセンターが無料や低料金です。

那須高原ビジターセンター

尾瀬沼ビジターセンター

お値打ちイベントもいろいろ

富士山世界遺産センター（p.76・86）や熊野古道センター（p.92）などもビジターセンターの一種。センターを目的に訪れる価値のある充実の施設もたくさんあります。ナイトハイクやバックカントリーなど、通常は立ち入れない、もしくは慣れないと危険がともなうような山歩き、その地に住む野生動物を見に行くガイドツアーなど、独自のイベントを企画するセンターも増えています。

17
hyogo
兵庫県

ビル本体の壁をクライミング施設とするアルピニストのメッカ

神戸登山研修所《コウベトザンケンシュウジョ》

1970年に竣工し、約半世紀を経て、歴史的建造物としても注目を集める神戸登山研修所。兵庫県山岳連盟より、完成と同時に神戸市に寄贈されたビルの本体側面が、そのまま人口岩壁になっているのです。

神戸は近代ロッククライミング発祥の地。ロッククライミングの基礎練習や、ボルダリングにも対応できる人工壁が室内外にあり、クライミングの普及振興にも貢献。国内でもめずらしい、登山に特化した研修施設として、山を愛する多くの人々が訪れます。

高さ 17.7m の人工岩場と、
その周りを囲む高さ 15m のピラミッドウォール。

近代登山の父といわれる藤《ふじ》木《き》九三《くぞう》氏より寄贈されたものを中心とする、登山に関する国内外の貴重な書物資料も一部閲覧可能です。

六甲の山々と海が同時に眺められる王子公園の一角。神戸市より施設の管理運営を委託されている兵庫県山岳連盟は、登山に有益な情報を積極的に発信。「登山についての知識と技術を普及し、安全で楽しい山登りを振興する」ための施設ですが、登山関係であるなしにかかわらず、誰でも低料金で利用できます。

human

近代ロッククライミングの父

神戸登山研修所の稀少な蔵書の多くは、日本初のロッククライミングクラブを発足させた藤木九三氏の寄贈によるもの。京都・福知山生まれの藤木氏は、朝日新聞神戸市局長を務めた人物。同時に大正から昭和にかけ、国内外で数々の山に登り、ロッククライミングを普及させたことにより、日本近代登山の先駆者ともいわれています。

1 別館の室内クライミングウォール。 2 図書の閲覧ができる1階のサロン。国会図書館にもない本があるといわれ、足を運ぶ山関係者も多いとか。 3 眺望がよく緑豊かで交通の便もいい王子公園の一角。

ビルの側面の人工壁を登れる驚きの構造。阪神・淡路大震災でも損傷なく、自衛隊の災害救援本部となって復旧に貢献しました。

DATA

〒神戸市灘区王子町2-2-1 ☎078-940-1850 🌐www.hma.jp 🕘9:00～21:00 休 月曜日、祝日、年末年始、GW、夏季休業など ¥ 入館無料、設備ごとに料金が異なり原則予約制なので問い合わせを 🚉阪急王子公園駅から徒歩4分 🚗阪神高速道路3号神戸線摩耶出口より8分

18
ehime
愛媛県

石鎚《いしづち》山系と久万高原町《くまこうげんちょう》の自然を網羅した博物館

面河山岳博物館《オモゴサンガクハクブツカン》

豊かな生態系を誇る石鎚山系、
面河渓では特に多くの昆虫類が観察できます。

国指定名勝面河渓の入口に立地する、四国唯一の山岳博物館です。館蔵品の数は5万点を超え、そのうち3000点ほどが常設展示されています。

面河渓は天然のアートと呼ばれるほど四季折々に美しい光景が広がる地域。川の透明度も高く、遊歩道からも川底が見えるほどです。博物館では、そんな自然の姿を学び、より楽しむための試みを積極的に行っています。

西日本最高峰である石鎚山や、面河渓の地史、動植物などを、模型や標本などの豊富な資料を使って常設展示や特

1 渓谷沿いの森と川に包まれるようにして建つ山岳博物館。充実の展示にリピーターも多いとか。 2 面河渓の自然に関することが見やすく、理解しやすくまとまった展示室。 3 周辺散策では実際に動物の姿を見ることができるかも。愛媛県内の哺乳類についてまとめた教育普及冊子『けものがたり』が参考になります。

別展示で紹介。2階には石鎚頂上付近の大型模型が展示されているほか、登山史や山岳信仰にまつわる資料も充実。昔の登山道具の展示など、登山者も楽しめる内容となっています。

地域の資料収集・調査研究にも力を入れており、年3回の企画展や季節に合わせた自然観察会を開くなど、教育普及活動も実施しています。

館単体だけでなく、他の博物館や動物園などと連携した企画「四国の哺乳類カンバッジラリー」や、夜の博物館を特別開放する「ナイトミュージアム～夜の哺乳類の世界にようこそ～」などユニークな取り組みも。事前に予約をすれば学芸員による解説を受けながら館内を見学することもできます。

頻繁に更新されるSNSには、館内に迷い込んだ生きものの情報、植物の開花や紅葉、登山道の情報などが親しみやすく紹介されています。生きものとの出会いの豊富さに驚いたり、イキイキとした動画にほっこりしそう。

1 石鎚山頂付近の100分の1のパノラマ模型。2 夏のブナ林。写真を見るだけで癒されそうな清々しさ。3 エメラルドグリーンの川面に映える紅葉の面河渓関門。秋が深まるにつれて、いっそう美しさを増していきます。

memo

四国最大の渓谷美

面河渓はエメラルドグリーンに輝く清流・面河川が流れる国指定の名勝です。奇岩や渓流などの織りなす景色はまさに自然がつくり出した芸術。季節はもちろん、時間帯の違いでもさまざまな表情を見せます。特に、面河山岳博物館の駐車場から通天橋まで、川沿いに続く約600 mの「関門遊歩道」が手軽に渓谷美を堪能できる散策路です。

図書室兼岩石標本展示室。石鎚山系だけでなく、愛媛県内の岩石や化石を展示しています。

DATA

上浮穴郡久万高原町若山650-1 0892-58-2130 www.kumakogen.jp/site/omogo-sangaku/4691.html 9:30～17:00(入館は16:30まで) 休 月曜日(祝日の場合は翌日)、祝日の翌日。12月～3月の土曜日・日曜日・祝日、年末年始、展示替期間中 ¥ 一般300円、小・中学生150円、65歳以上は年齢証明で150円、福祉系手帳の提示で本人およびその介助者1名は半額、夏季および秋季は特別料金の場合あり JR松山駅からバスで2時間 松山自動車道松山ICから1時間20分

column -13-

火山の話

世界有数の火山国といわれる日本。世界の活火山の7%が日本にあるといわれます。地震や温泉といった日本でおなじみの災害や恵みも、火山の活動と深く関連しています。山に関する資料館と同じく、火山に関する施設も全国に点在しています。

火山と共にある日本の歴史

日本神話や古事記には火山に端を発する記述があり、日本人と火山の関わりの深さを感じさせます。活火山はおよそ過去1万年以内に噴火した火山、現在も活発に活動する火山など、世界には1548の活火山があるとされ、そのうち108が日本の山です。阿蘇や桜島、浅間山など、活発な活動の兆しを見せる火山の他、富士山や安達太良山など、静かな山もあります。

宮城・蔵王の御釜。

面河山岳博物館（p.98）の火山に関する展示。

火山に関する施設あれこれ

身近な火山に関する研究が盛んな日本には、火山に関する資料館も豊富です。火山として知られる地域の多くがジオパーク（p.104）になっており、火山に関する資料館や、火山の力を体感できる施設が充実しています。その他、東京・三宅島の火山体験遊歩道では、1983年の噴火で埋没した約400戸の民家を間近に見学しながら溶岩原を歩くことができます。

19
fukuoka
福岡県

山の図書館《ヤマノトショカン》

山の情報を発信し続ける、登山愛好者憩いのログハウス

宝満山《ほうまんざん》の登山口にあるログハウス、九州登山情報センターは「山の図書館」の愛称で親しまれています。2004年4月、山を通して「学ぶ・集う・広げる」という活動目標を掲げ、登山者が設立・運営する施設としてスタートしました。

活動のひとつは「岳書」と呼ばれる山岳関係の書籍が失われるのを防ぐこと。積極的に寄贈を受け入れており、その数は9000冊以上にもなります。また室内には、九州の山と自然に魅せられたという画家、島太平治《しまたへいじ》氏が描いた山の絵が飾られています。

日本芸術家協会審査員などを務め、
色彩の画家と呼ばれた故・島太平治氏の絵に彩られる館内。

ここで山に関するさまざまな本に出会うことにより、いっそう登山を楽しめることを願うと同時に、子どもの登山活動支援や、安全登山のための講習会、山の絵画展や、音楽会などの開催などの取り組みも盛んに行っています。

memo

ナイロンザイル事件

1955 年、出回りはじめたばかりのナイロン製のザイルが原因でクライマーが墜死し、日本登山界が揺れました。安全で扱いやすいという触れ込みのナイロンザイルが原因か、登山者の技量不足か。執念の原因追跡の結果、ナイロンザイルの弱点が明らかになり、世界初のクライミングロープ（ザイル）の安全基準が日本で確立されました。

1 宝満山入口のログハウスを借り上げて活動拠点に。 2 「ナイロンザイル事件」の犠牲者の兄、石岡繁雄氏の志を伝える会などの協力を得て、事件に関する資料が常設展示されています。 3 書棚には 9000 冊に及ぶ岳書がぎっしり。

2019 年に刊行した創立 15 周年の記念誌は 500 ページの大冊。

隣接する竈門神社は、桜と紅葉の名所。最近ではその名から人気アニメの聖地巡礼の舞台になって大賑わい。

DATA

〒太宰府市内山708 ☎092-928-2729 yamatosyo.starfree.jp 11:00〜16:00 休 水・木曜日 ¥無料 西日本鉄道太宰府駅からバス10分 九州自動車道・福岡高速2号太宰府線太宰府ICから15分

column
-14-

ジオパークの話

ジオパークとは「大地の公園」を意味する言葉で、地球（ジオ）を学び、丸ごと楽しむことができる場所を指します。2021年4月現在、日本ジオパーク委員会によって認定されたジオパークは国内43地域。そのうち9地域がユネスコ世界ジオパークに認定されています。

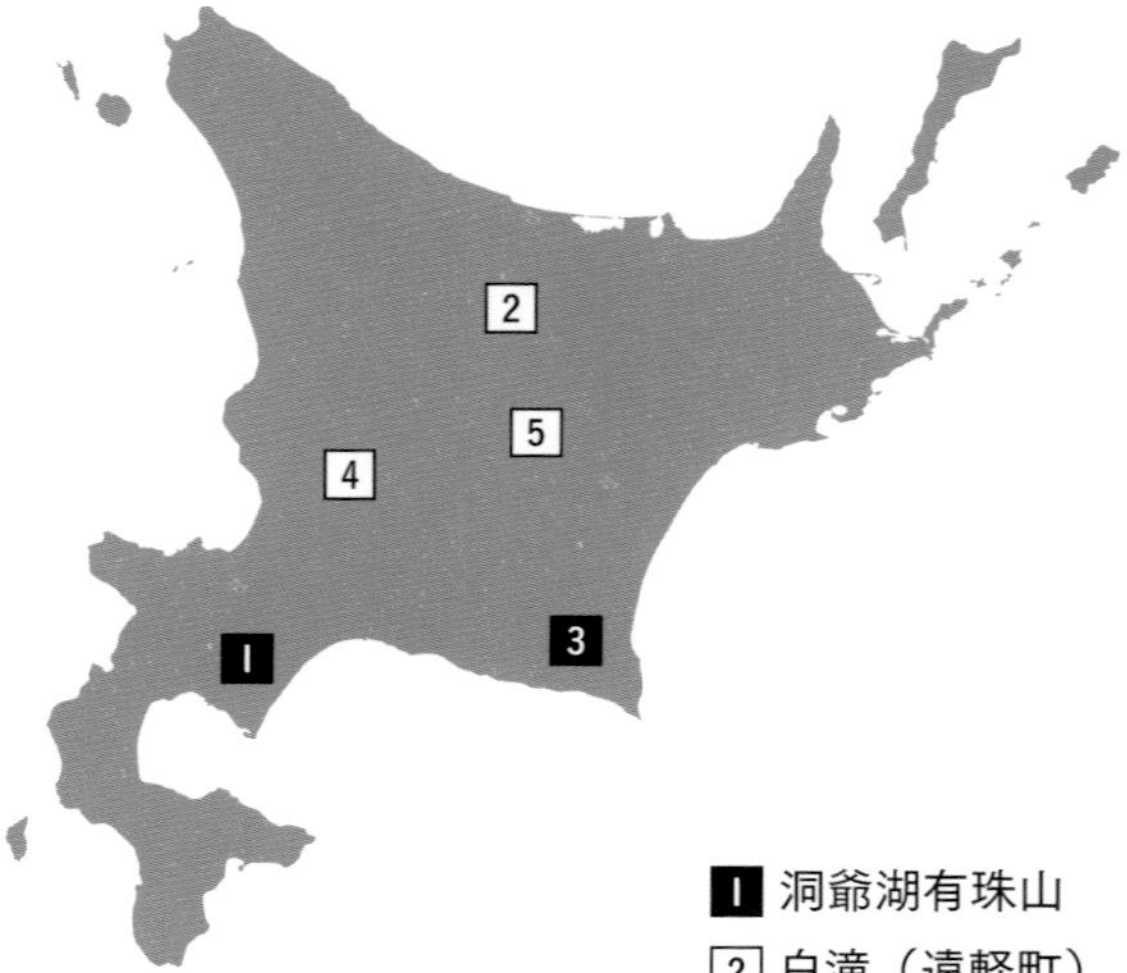

1 洞爺湖有珠山
2 白滝（遠軽町）
3 アポイ岳
4 三笠
5 とかち鹿追

■ ユネスコ世界ジオパーク
□ 日本ジオパーク

1 有珠山

地域の魅力を知り、守るための活動

ジオパークに認定された地域では、特に見どころとなる場所を「ジオサイト」に指定し、人々が利用できるように整備します。その土地の成り立ちや、そこに広がる生態系、人との関わりなどを理解することによって、素晴らしい環境を守る。そのために、環境やジオツアーなどの観光活動に活かしていくことも目的のひとつです。

つまりジオパークには、その場所の魅力を知って、より楽しく過ごすための施設や情報も揃っているということ。ジオツアーや、ガイドの案内の申し込みを受け付けているジオパークもたくさんあります。該当する地域を訪れる際は、ジオパークの活動にも注目してみてください。

日本ジオパークネットワーク　geopark.jp

6 下北
7 三陸
8 栗駒山麓
9 男鹿半島・大潟
10 八峰白神
11 鳥海山・飛島
12 ゆざわ
13 磐梯山
14 筑波山地域
15 浅間山北麓
16 下仁田
17 秩父
18 銚子
19 伊豆大島

20 伊豆半島
21 箱根
22 南アルプス
23 糸魚川
24 佐渡
25 苗場山麓
26 立山黒部
27 白山手取川
28 恐竜渓谷ふくい勝山
29 山陰海岸
30 南紀熊野
31 隠岐
32 島根半島・宍道湖中海

26 立山黒部

38 阿蘇

33 Mine 秋吉台
34 萩
35 室戸
36 四国西予
37 島原半島
38 阿蘇

39 おおいた姫島
40 おおいた豊後大野
41 霧島
42 桜島・錦江湾
43 三島村・鬼界カルデラ

chapter

– 3 –

人にフォーカスした施設

People-focused facilities

良い登山とは、
野心や誇りではなく心や本能で登ること。
―― ベア・グリルス／冒険家

一歩を踏み出せるなら、もう一歩も踏み出せる。
―― トッド・スキナー／ロック・クライマー

目の前の山に登りたまえ。
山は君のすべての疑問に答えてくれるだろう。
―― ラインホルト・メスナー／登山家

私は思い出より憧れのほうが好きだ。
―― ガストン・レビュファ／登山家

撮影：馬場茂／マウントクック

01
iwate
岩手県

宮沢賢治ゆかりの山に建つ、ファン必訪の記念館

宮沢賢治記念館《ミヤザワケンジキネンカン》

『銀河鉄道の夜』や『風の又三郎』などの作品で知られる作家、宮沢賢治の記念館。標高１８３ｍの胡四王山の中腹に位置します。この山は、賢治の文語詩未定稿『丘』の中でも取り上げられているほか、賢治が晩年書き記していた日記の中に、強く信仰していた『法華経』を埋経するよう書き遺した32の山々のうちのひとつです。

施設展示では、賢治の直筆原稿や、愛用していたチェロなどが展示されており、生前の多彩な活動や、作品完成に至る創作過程について理解する

自然や動物、山に関わる作品を通して人間の生き方を
追求した宮沢賢治。その世界を深く知るための施設です。

ことができます。スクリーン映像や音楽ライブラリー、年表の展示などもあり、賢治ファン必訪の施設となっています。

館内の憩いスペースである展望ラウンジからは、賢治の愛した花巻市内を一望。ポランの広場には、賢治が残した手紙や設計書をもとに再現された南斜花壇と日時計花壇が。美しくデザインされた花壇や、文字盤の数字を花で描いた日時計が現実になっていることを賢治が知ったら喜ぶに違いありません。

human

岩手出身の国民的作家

法華経信仰と、農民生活を題材にした作品を生み出し続けた宮沢賢治。自然から学ぶことが一番と語り、自然の中ですべての命を尊びました。作中にも山や自然、動物の描写が多く登場します。生前はほぼ無名でしたが、死後、遺された原稿が評価され、現在では数作品が教科書に掲載されるほか、さまざまな国で翻訳出版も。

1 色とりどりの花が咲くポランの広場。日時計の文字盤の数字も花です。 2 賢治の愛したチェロが存在感を放つ展示室。 3 賢治の生涯を見通す幅広い内容の展示。

緑に囲まれた記念館の周囲には、シグナルの道や、よだかの星碑などもあります。

DATA

花巻市矢沢第1地割1番地36 0198-31-2319 www.city.hanamaki.iwate.jp/miyazawakenji/kinenkan/index.html 8:30〜17:00（入館は16:30まで） 12月28日から1月1日まで 一般350円、高校生・学生250円、小学生・中学生150円 JR新花巻駅から車で3分 釜石自動車道花巻空港ICから10分

column
-15-

宮沢賢治と山

岩手県花巻市を中心に、賢治の作品のモデルになったとされるスポット、賢治の生家や教えた学校、耕した畑、散策した場所、詩碑や銅像など、ゆかりの場所やものが数多く遺されています。ここでは賢治と山との関わりと、資料などで賢治の足跡を辿れる施設をいくつか紹介します。

賢治が生涯でもっとも多く登ったといわれる岩手山

かがやく雪屋根

山よほのぼのひらめきて、
わびしき雲をふりはらえ、
その雪屋根をかがやかし、
野面のうれいを燃し了せ

——宮沢賢治『文語詩稿一百篇』
収録「岩頸列」より

山では別人のようだった

山と自然を深く愛した宮沢賢治。地元・岩手の山々を中心に、飽きることなく山に分け入っていたといい、賢治の研究者らが山と彼に関わる本を何冊も出版しているほどです。その作品を読み軌跡を辿れば、彼が山に求めていたもの、彼を惹きつけた山の魅力が伝わってくるでしょう。

賢治の友人である阿部孝《あべたかし》氏は述べています。「色の白い坊ちゃんで、体操も劣等生だったのに、山に組みつくと別人のような勇者であり、英雄であった」。それが不思議でならなかったと。特に地元の岩手山や早池《はやち》峰山《ねさん》には数えきれないほど登り、時間を見つけては山野をめぐっていました。「石っこ賢さん」と呼ばれるほど鉱物に興味があり、山行きの際には愛用の金槌がお供だったとか。賢治が教えていた農学校の生徒は「黒い絹の紐の付いたシャープペンシルを首に吊るし、粗末な手帳を1冊持って、身軽に出かけて行く」と回想しています。山を歩く時の彼の「物凄い精力は常人の及ぶところではなかった」とも。

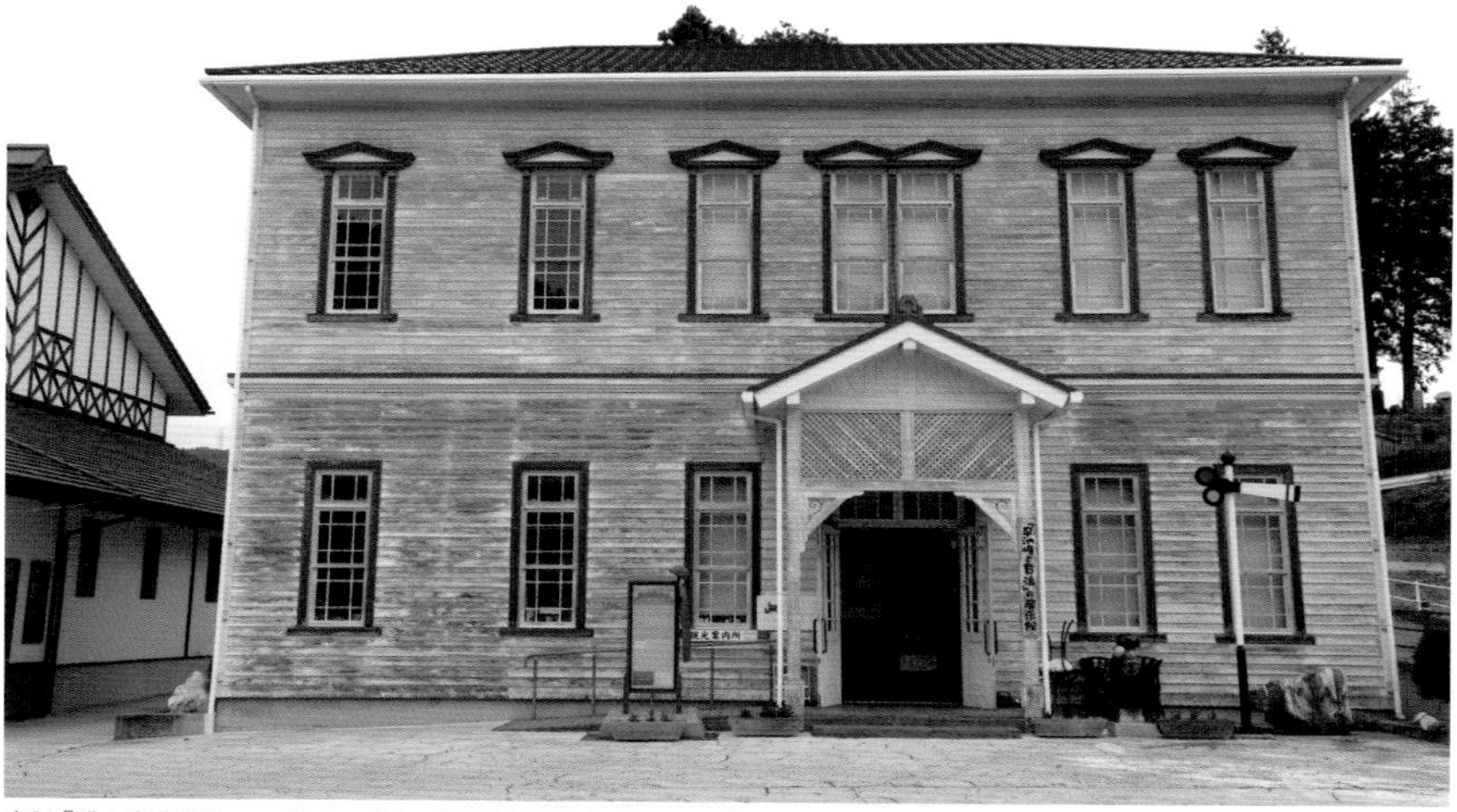

童話『猫の事務所』のモデルといわれる旧稗貫郡役所を復元した「早池峰と賢治の展示館」（花巻市大迫交流活性化センター内）。早池峰山は岩手山と並んで賢治が訪れていた山であり、関わる作品も多数。常宿としていた旧石川旅館の部屋が再現され、作品を偲ぶ展示があります。

イーハトーブ館
賢治に関する図書や研究論文、さまざまな芸術作品を公開している「イーハトーブ館」。アニメーションの上映や企画展なども行っています。賢治とその作品のファンや研究者が交流できる「宮沢賢治学会イーハトーブセンター」の本部が置かれています。

材木町通りの宮沢賢治像。花巻を散策すれば、あちこちで賢治の像や石碑などに出会います。

宮沢賢治童話村
賢治の童話の世界に飛び込めるような「楽習」施設。メイン施設である「賢治の学校」は、「ファンタジックホール」や「宇宙」「大地」など５つのゾーンに分かれ、見応えたっぷり。周辺には「ふくろうの小径」「妖精の小径」なども。

施設の情報は花巻観光協会　www.kanko-hanamaki.ne.jp

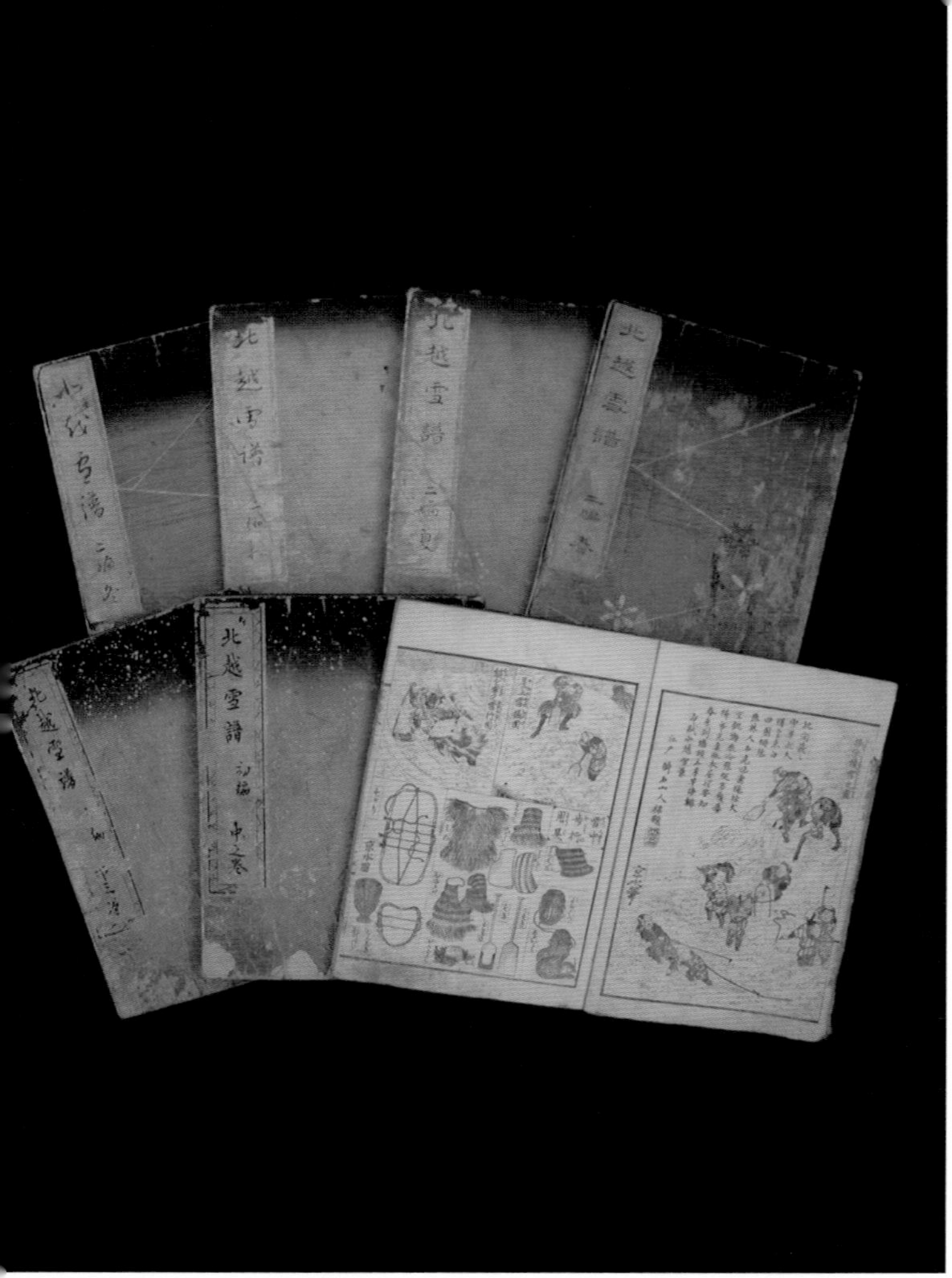

雪国の暮らしを書いて江戸時代のベストセラーとなった『北越雪譜』。雪にまつわる暮らしの道具をはじめ、自然に関することが挿絵つきでイキイキと描写されています。

02
niigata
新潟県

江戸時代の雪国の暮らしを丁寧に伝える

鈴木牧之記念館《スズキボクシキネンカン》

江戸時代の雪国での暮らしを紹介した文献として、国内外で高く評価されている『北《ほく》越雪譜《えつせつぷ》』。その作者である鈴木牧之の記念館は、その生涯や多才ぶり、人柄がよくわかる施設となっています。

建物は、新潟県産のスギ材を使ったもので、雪国特有の「せがい造り」で造られています。これは軒先の雪対策として、室内にある本桁から梁を突出して桁を乗せ、その上に天井を張るという特殊な工法を用いたもの。

深い軒先が特徴的な、重厚感のある外観が雪国の厳しい

1 日本有数の豪雪に耐える頑強な造りの建物。 2 立派な木組の内館も見応えがあります。 3 鈴木牧之坐像。 4 雪国特有の雁木が続く牧之通り。

暮らしを感じさせます。1～2階をつなぐ木造階段も圧巻の見ごたえです。

1階には、ベストセラーとなった『北越雪譜』の初版本や遺墨、雪国・越後の民具や資料などの展示が。2階には国の重要無形文化財でありユネスコ無形文化遺産に登録された「越後上布《えちごじょうふ》」や、伝統工芸品の「塩沢紬《しおざわつむぎ》」の展示もあり、地域の情報発信地の役割も果たしています。

さらに、雪崩の研究に尽力し、日本で初めて人工雪崩実験に成功した「雪崩博士」こと、荘田幹夫について紹介するコーナーもあり、登山家ならぜひ訪れておきたいところ。

記念館のある地は、かつて江戸と越後を結ぶ三国街道沿いの宿場町として栄えた塩沢宿。郷土の偉人にちなんで整備された牧之通りには、雪国独自の雁木の街並みが懐かしい風情を醸し出しています。

2月には牧之に想いをはせる「しおざわ雪譜まつり」雛人形が展示される「ひな雪見かざり」など、雪にちなんだ催しも開催されます。

1 都市景観に配慮して整備され、複数の景観賞を受賞している情緒あふれる牧之通り。のどかな街並みを散策しようと、多くの観光客が訪れます。 2 記念館では『北越雪譜』や雪にまつわる書籍、資料などを販売。

works

江戸時代のベストセラー

19歳の時、家業の縮（ちぢみ）の行商で江戸を訪れた牧之。江戸の人々が越後の雪の多さを知らないことに驚き、随筆で地元を紹介することに。多くの取材を経て執筆した『北越雪譜』では、顕微鏡で見た雪の結晶もの、雪崩や吹雪の話、雪国に生きる生き物についてなど、さまざまなテーマで雪国の生活を紹介しました。

ユネスコ無形文化遺産に登録された「越後上布」の伝統的な工程「雪晒し」。

DATA

南魚沼市塩沢1112-2 025-782-9860 www.6bun.jp/bokushi 9:00～16:30 休 火曜日（祝日の場合は翌日）、年末年始（12月29日～1月3日）、燻蒸・展示替期間 ¥ 一般500円、小・中・高校生250円、障がい者手帳の提示で本人および介助者は無料 JR塩沢駅から徒歩10分 関越自動車道塩沢・石打ICから15分、関越自動車道六日町ICから15分

column
-16-

登山と文学

明治38年、日本初の山岳団体「日本山岳会」の発足に伴い、登山が人々の間に少しずつ浸透していきます。同時に、文学や絵画で山を表現することが盛んになっていきます。多くの手に汗握る山岳文学や映画などが発表される現代に至るまで、山は文人たちをも惹きつけてやみません。

『紀行とエッセーで読む作家の山旅』(ヤマケイ文庫)。小泉八雲、竹久夢二、林芙美子、太宰治ほか、48人の文学者が記す山についての作品。

『新田次郎 山の歳時記』(ヤマケイ文庫)。鬼気迫るような小説とは一線を画し、山について自然体で綴ったエッセーや、山旅の記録などを収録。

文豪の琴線にふれた山

山岳会発起人のひとり小島烏水(久太)は、銀行家でありながら文筆活動を続けていた人物。山岳会に島崎藤村、柳田国男、小山内薫、田山花袋ほか文人が多く所属するきっかけになりました。彼の記した『アルピニストの手記』は、明治期の登山史を記録した山岳書の名著。夏目漱石は『草枕』を「山路を登りながら、こう考えた」と書き出し、芥川龍之介は『槍ヶ嶽紀行』を、歌人・随筆家の大町桂月は全国を旅して500編以上もの紀行文を残したといわれています。

気象庁職員として富士山気象レーダー建設に関わった新田次郎は『強力伝』で直木賞を受賞。山岳文学の第一人者として数々の作品を発表し続けました。加藤文太郎(p.152)の『単独行』のように、登山家本人が書く本のほか、『孤高の人』『銀嶺の人』(共に新田次郎著)、『凍』(沢木耕太郎著)など、実在の登山家をモデルにした本も多数。

富士山頂の気象観測がモチーフの『富士山頂』(同タイトルで橋本英吉著と新田次郎著)、ナイロンザイル事件(p.103)の『氷壁』(井上靖著)など、社会的な出来事をテーマに生み出された話題作も。絶大な人気を誇る小説『神々の山嶺』(夢枕獏著)など、映画化やコミック化される名作も少なくありません。

03
ishikawa
石川県

山を愛した文化人の人生に思いをはせる

深田久弥《フカタキュウヤ》 山の文化館《ヤマノブンカカン》

自ら登った数百の山の中から、選りすぐりの名山を100山紹介した随筆、『日本百名山』。その作者として知られる文学者・深田久弥の資料館は、山を愛する人々が多く訪れ、交流や情報収集を行なっている施設です。

遺品や直筆原稿、写真などが多数展示され、その生涯や、自然に対する考え方・価値観について理解を深めることができます。また、山や自然に関する書籍も多く所蔵されているほか、施設内のさまざまな場所に展示されている山の写真も見ものです。

山の文化館のシンボルは大イチョウ。樹齢650年にもなるといわれ、大昔、町の大火事がこの巨樹の前で止まったという伝説をもちます。

なお、建物は明治43年に建てられた絹織物工場「山長」の事務所や石蔵、門を修築して造られたもので、2002年に国の登録文化財にも指定されています。

建物の周囲は樹齢600年以上といわれるイチョウや、シイ、タブなどの巨木に囲まれていて荘厳な雰囲気。加賀の街中とは思えない静かな場所にあり、自然の中でくつろぐことができます。別棟のカフェ「聴山房《ちょうさんぼう》」で、美しい庭を眺めながら、ひと息つくのもいいでしょう。

works

登山家必読『日本百名山』

石川県加賀市大聖寺出身の登山作家、深田久弥。著書『日本百名山』は第16回読売文学賞を受賞し、現在でも登山入門書として多くの登山家に愛されています。百名山の選定には、自身が登った山の中から標高1500m以上、品格（山格）と歴史、個性を兼ね備えていることを基準に、各2000文字程度の随筆をまとめています。

1 貴重な山岳関係書が並ぶ書庫は「九山山房（きゅうさんさんぼう）」。東京にも同じ名前の書庫兼書斎をもっていました。 2 愛用品や資料などを展示するスペースも。

写真提供：深田久弥 山の文化館

1968年頃、九山山房で執筆する深田久弥。山梨県・茅ヶ岳の登山中に亡くなり、その登山口には「百の頂に百の喜びあり」の言葉が直筆で綴られた記念碑があります。

DATA

加賀市大聖寺番場町18番地2 0761-72-3313 www2.kagacable.ne.jp/~yamabun 9:00～17:00（入館は16:30まで） 休 火曜日（祝日の場合は開館）、年末年始（12月30日～1月1日） ¥ 一般350円、高校生以下および障がいのある人無料、介助者1名無料、75歳以上170円 JR大聖寺駅から徒歩20分 北陸自動車道加賀ICから10分

04
nagano
長野県

写真家を魅了した白馬連峰の四季に心打たれる

菊池哲男山岳フォトアートギャラリー《キクチテツオサンガクフォトアートギャラリー》

長野県北安曇郡白馬村。その中でも自然豊かな和田野地区に、緑に囲まれて静かに佇む教会があります。その名も和田野の森教会。菊池哲男山岳フォトアートギャラリーは、その教会の敷地内に建てられた写真美術館です。

展示されているのは、山岳フォトグラファーの菊池哲男が自ら選んだ白馬連峰の写真の数々。14歳から独学で写真を学んだ彼は、高校時代に白馬岳に登ったことがきっかけでこの山々に魅せられたといいます。

20歳で山岳写真に目覚めて

雲海に浮かぶ白馬岳山頂で迎えた夜明けに感動し、以来、北アルプス白馬連峰を一途に撮り続けている山岳写真家。その作品により、白馬のさまざまな表情に出会える空間です。

からは、『山と渓谷』をはじめとした登山専門誌や、各地で開催する写真展や写真集を通して作品を発表。以来35年以上にわたり、白馬連峰の姿を撮り続けてきました。

白い水芭蕉の向こうの稜線、山腹から見える入道雲と花畑、紅葉に彩られた斜面、そして白銀の尾根……四季折々の山を写した写真を見ると、その豊かな表情に驚かされます。写真家を虜にして離さない白馬連峰の魅力に、心ゆくまで浸ることのできる空間です。

memo

小さな森の教会

菊池哲男山岳フォトアートギャラリーの隣には、とんがり屋根の鐘撞堂と小さなチャペルが。ギャラリーと同じ白馬和田野アートガーデンが運営する、和田野の森教会です。木立に現れるレンガ造りの建物は、まるでおとぎ話のなかの教会のよう。リゾートウェディングの会場としても人気で、周辺を散歩をすれば清々しい気持ちになります。

1

2

1 ギャラリーのパンフレットには「色々な表情を魅せる北アルプスの女王・白馬岳。この美しい姿を永遠に残したいと強く願う──。」の言葉が。作品は〈雲表の白馬岳・杓子岳（白馬鑓ヶ岳より）〉。 2 〈栂池寸景・浮島湿原〉。

八方尾根スキー場の咲花ゲレンデに近い人気エリア、和田野の森の中心部。レンガ造りの教会、鐘撞堂と並んで赤い屋根のギャラリーが佇みます。

DATA

北安曇郡白馬村北城4787 0261-72-5048 www.wadanonomori-ch.com/gallery/index-1.html 9:00〜17:00（4月〜10月）、10:00〜16:00（11月） 休 水曜日（7・8月無休）、冬季休館 ¥ 大人400円、中・高校生200円、小学生以下無料 JR白馬駅から車で6分 長野自動車道安曇野ICから60分

05
nagano
長野県

田淵行男記念館《タブチユキオキネンカン》

安曇野の山と自然を愛したナチュラリストの足跡

1 山が恋しくなるような道具類が揃う展示室。
2 写真のように緻密な〈ミヤマモンキチョウ〉（1948 年）。

安曇野のワサビ田に囲まれて建つログハウス風の建物は、自然との調和が感じられる佇まい。根っからのナチュラリストの記念館としてふさわしい施設空間をめざして計画されたものです。

終戦近くに疎開したこの地を田淵行男は愛し、後に移住して写真の撮影や昆虫の生態研究に没頭しました。彼が撮影したフィルムやガラス乾板などの原板、約7万3000点と著作36冊などの作品群、そして撮影機材や登山用品などの遺品。それらが寄贈されたことから、200回以上も

湧水のある小川が流れるワサビ田の中にある、ログハウス風の記念館。安曇野に点在する18 の文化施設を結ぶ安曇野アートラインに属し、周囲には自然的、文化的見どころがいろいろ。

3 安曇野のナチュラリストが愛した常念岳。 4 作品や愛用の品が展示され、田淵行男の世界が広がります。

登ったという常念岳《じょうねんだけ》を望む清涼な場所に、記念館が建てられました。

常設展示場には、膨大な作品の一部が展示されているほか、カメラや相棒だったピッケル、アイゼンなども置かれています。作品は年に数回入れ替えられるため、何度も訪れる人も多いそう。

モノクロームの山の写真は、山の厳しさと静けさが同時に感じられるような世界観。それに対し、蝶の細密画は驚くほど緻密で鮮やか。当時の写真や印刷では再現しきれないリアル感にこだわったものです。これらが同時に掲げられた常設展示室では、ふたつの世界を行き来するような気分になります。

human

日本が誇るナチュラリスト

「自然から読み取り学ぶ知識がもっとも正しい」を信念とした田淵行男。教職などを経て、写真家として本格的に活動をはじめたのは 40 代。また、カラーフィルムのない時代、蝶の美しさを伝える事典をつくりたいという想いから、蝶の細密画を描き続けました。仕事の評価と同時に、多くの人に敬愛された人柄も知られています。

1955 年、常念岳の一ノ沢で撮影されたセルフポートレート。

DATA

安曇野市豊科南穂高5078-2 0263-72-9964 tabuchi-museum.com 9:00～17:00 休 月曜日(祝日の場合は開館)、祝日の翌日、12月28日～1月4日 ¥310円(高校生以上)、中学生以下、70歳以上の安曇野市民、障がい者手帳の提示で本人と介助者1名は無料 JR大糸線柏矢町駅から徒歩約20分 長野自動車道安曇野ICから約5分

column
-17-

田淵行男の世界

ひとつの山でも、登るほどに楽しみがあるという「一山百楽《いちざんひゃくらく》」の言葉を遺した田淵行男。山岳写真家の草分けであり、自然を愛し守るナチュラリストとして多くの人々に影響を与えました。彼が捉えたモノクロームの山々の表情や、山岳写真の世界観をお楽しみください。

写真提供：田淵行男記念館

〈初秋の裏劔 仙人池にて〉（1966 年）

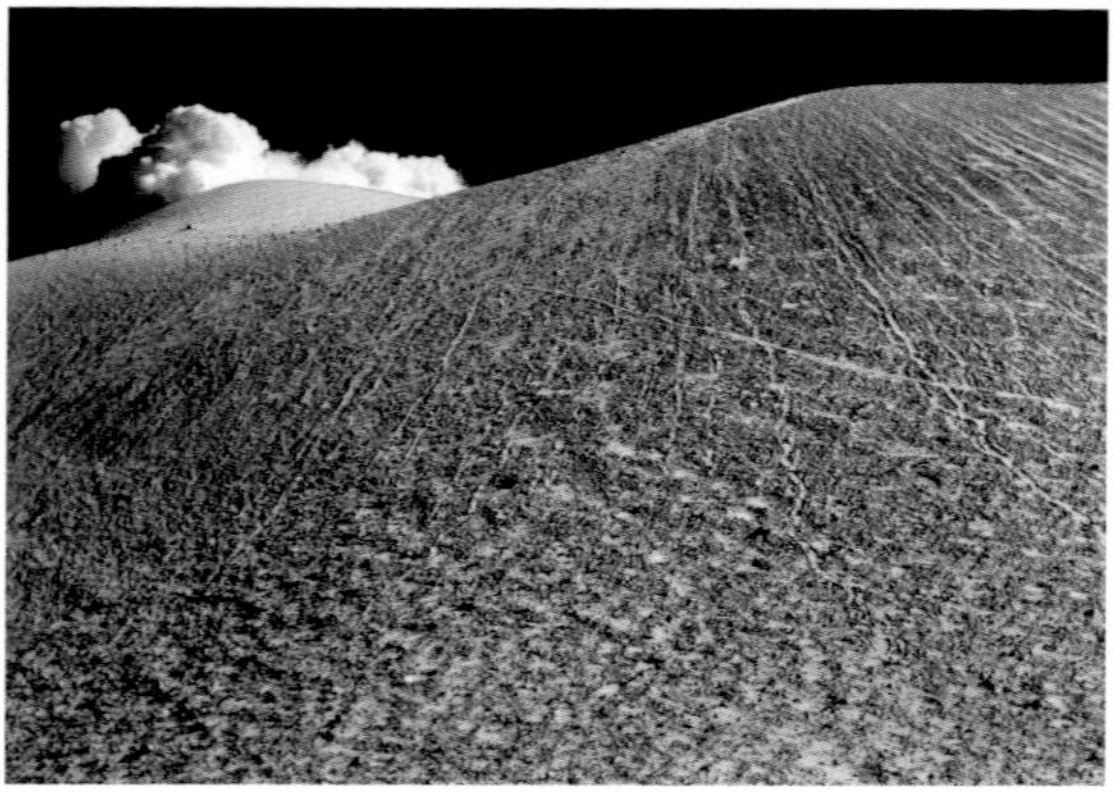

〈初冬の浅間 黒斑山中腹より〉（1940 年）

〈常念残照 槍ヶ岳より〉（1973 年）

〈暮れ行く連嶺 鹿島槍頂上より槍穂高遠望〉（1941 年）

06
nagano
長野県

世界各国を探検・収集した貴重なコレクションが多数

西丸震哉記念館《ニシマルシンヤキネンカン》

周辺に美術館、記念館などが多い
自然豊かな大町に建つ記念館。

登山家、探検家、食生態学者として知られる西丸震哉の記念館。手作りの木の壁、看板が愛らしい風情のある外観となっています。

「当時は自然が多く鬱蒼としていた」と本人がいう東京・青山に育ち、中学生からひとりで山登りへ。「山の魅力に取り憑かれ山男として一生を歩むことになった」といいます。やがて、台湾山脈やパプアニューギニア、アマゾン熱帯雨林、アラスカ、南北両極圏といった世界の秘境を踏破する稀代の探検家へ。

記念館には現地で収集した

1 熱心だったチョウの採集は世界規模の貴重なコレクションとなり、探検旅行先で集めた資料や記念品と合わせて展示。 2 記念館を中心に、大地と共に生きる「生活における花」としての祭、原始感覚美術祭を実施。その常設作品である<山と人>（淺井裕介）。

コレクションや関連資料を展示しています。マサイ人の人形や、パプアニューギニアの食人族の頭蓋骨、インドの蛇使いの笛といった、海外由来の珍しい展示品もあれば、探検登山時代に自身が撮影した写真やスケッチ、絵画なども。

また、西丸震哉は絵画や音楽にも造詣が深く、展示内容の中には自身がつくったペンギンのオブジェや油絵なども。それらを通して豊かな才能に触れることができます。

館内のレイクサイドカフェでは、本格インドカレーやコーヒー、ケーキなど食事からおやつまでメニューがいろいろ。休憩をとりながら、多彩な展示をゆっくり見て回れます。

　ユニークな発想と行動力を発揮し、自説の発表にも積極的だった西丸震哉。その足跡をリアルに体験できる展示と同時に、好奇心を刺激するイベントも実施しています。

　館外には、この場所で出土した遺跡の展示も。約5100年前の縄文中期の調理場跡や、8万6千年前の中期旧石器時代の遺跡の展示などもあり、地球のロマンを感じさせてくれそう。

1〈氷河時代、虫倉山脈から見た白馬連山〉は本人によるもの。 2 地下の展示室にもさまざまな品が並びます。 3 記念館の周辺には多くの山野草が見られます。写真はショウジョウバカマ。4月中旬には同時にカタクリやオオミスミなどが咲きます。

human

世界を飛び回った異色の学者

食生態学者、登山家、探検家の西丸震哉。命名の由来は関東大震災の直後に生まれたこと。初代農林水産省食品総合研究所官能検査研究室長を務めました。1990年に執筆した『41歳寿命説』で、「環境汚染の影響で日本人の平均寿命は大幅に下がる」という見解を示し、大きな話題に。山を愛し自然を慈しむ探検家としての生涯でした。

「西丸震哉文庫」を収蔵する書庫。書物も展示も広範でユニークなものが多くなっています。

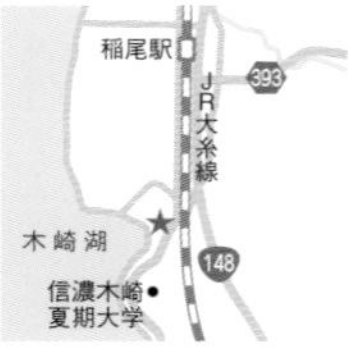

DATA

大町市平10901 0261-22-1436 nishimarukan.com 10:00〜16:30 休 火、水、木曜日、12〜3月は冬期休館 ¥500円(バッハコーヒーまたは企画展示資料か過去の原始感覚美術祭の記録集付き) JR稲尾駅(無人駅)から徒歩4分 中央高速安曇野ICから45分

column
-18-

冒険者の足跡①

日本の登山の歴史を切り開いた加藤文太郎（p.152）の時代から、確実な通信手段、正確な気象予報と位置情報などを駆使できる現代スタイルの登山まで。時代は違えど自然は人間が御することができない領域です。山や冒険に命を賭けた日本の登山家・冒険家が見たものとは……。

冒険者たち本人の著書も遺されていますが、志半ばとされる冒険者たちの挑戦を追った書籍もあります。

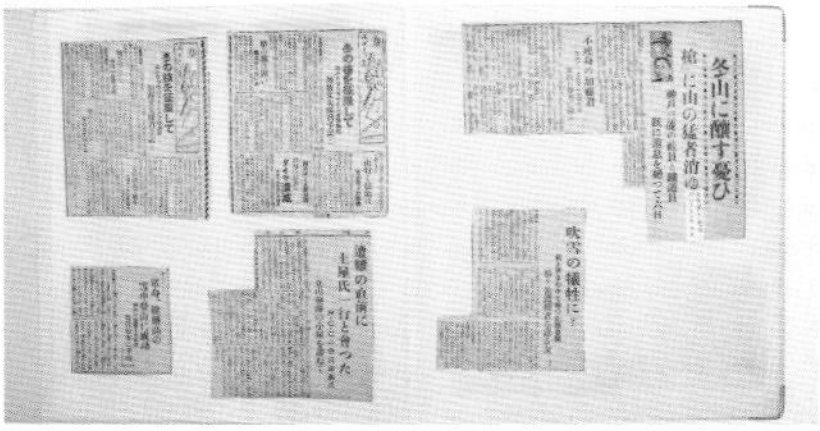
挑戦の足跡、その夢とロマンは、いつの時代も世界の注目を集めます。写真は加藤文太郎記念図書館より。

山田昇ヒマラヤ資料館の展示。

夢を追いかけた人々

山登りは自分との戦いだといいます。偉業といわれる冒険に挑み、成し遂げた冒険者がいれば、山や荒野に散った冒険者も。

本書で紹介している加藤文太郎、山田昇（p.134）、植村直己（p.146）は、極限への挑戦中に命を落としています。それぞれ無謀な行いをすることのない、世界が認める登山家、冒険者でした。写真家で探検家の星野道夫、長野県茅野市に記念庫がある登山家の長谷川恒男、兄を追って山に取り憑かれた加藤保男、瀕死の状態で救助された山に再び挑戦し戻ってこなかった森田勝など、記憶に刻まれる登山家・冒険家は多数。

新婚の夫とザイルでつながったままマッターホルンで転落死した若山美子、エヴェレストの頂上を踏んだ下山路で遭難した難波康子など、天才クライマーと呼ばれた女性たちもいます。この中には、チームメンバーとして共に挑戦した者も多く、仲間でありライバルである誰かが遭難死したということを、互いに経験していることも少なくありません。

いかに準備万端にしても、命を落とす可能性が少なくない場所に挑む。それが冒険者なのかもしれません。

07
nagano
長野県

日本を代表する水彩画の名作が並ぶ記念館

丸山晩霞記念館《マルヤマバンカキネンカン》

1 東御市文化会館に併設された記念館。車で５分ほどの場所にある晩霞のアトリエ兼自宅「羽衣荘」も公開されており、記念館で案内を受けることができます。 2 筆や筆立て、筆入れなど、愛用の道具の展示も。

1867年生まれの水彩画家・丸山晩霞の記念館です。晩霞は、郷土である長野県や、欧米・アジア各国を取材して題材にした、風光明媚な山岳や高山植物などを多く描いた画家として知られています。

写真が一般的でない時代、市井の人々に山の魅力を伝える手段として活用されたのが画家たちの描く絵でした。晩霞の水彩画は国内外で人気を博し、水彩画の大ブームを巻き起こします。

この施設には、代表作の呼び声高い〈高原の秋草〉をはじめ、彼の不朽の名作が一堂

丸山晩霞の代表作といわれ人気を集める〈高原の秋草〉。
霧や草木のたなびく様に、風の流れや冷涼な空気を感じさせ、独特の世界観が完成しています。

3 今はなき名物「祢津煎餅」。図案の選定から制作まで晩霞が担当。4 豊かな世界観が広がる展示室。

に。中には、親交のあった日本を代表する洋画家・吉田博と共に、約40日間に及ぶ「日本アルプス写生旅行」を敢行した際に描いたスケッチ画や、アメリカを訪れた際に販売した絵など貴重な収蔵品もあり、美しく繊細な作品の世界観を十分に堪能することができます。

常設展示は年4回程度の入れ替えがあるほか、最近ではユニークな企画展も話題。企画展では、晩霞の作品のみならず、愛らしい動物の写真展や、地域文化や歴史についての展示なども行っています。土曜日の11時と14時に行われるギャラリートーク（無料）は特におすすめ。タイミングが合えばぜひ参加してみてください。

human

山を愛した国民的水彩画家

1867年、蚕種業を営む農家に生まれ、父が行商先で手に入れた錦絵などを見ながら育ったことで絵画を志しました。絵画修業としてアメリカや欧州へも足を運び、画家や文豪との交友も盛んでした。登山を愛し、日本山岳画協会創立にも参加。故郷の情景のほか、国内外の山岳風景や高山植物の水彩画を多く描きました。

水彩画の指導や普及にも熱心だった晩霞。美的センスを庶民にもたらし、心の豊かさが尊ばれる社会を願っていました。

DATA

〒東御市常田505-1 ☎0268-62-3700 maruyamabanka.com 9:00〜17:00 休 月曜日（祝日の場合は翌日）、年末年始、入替期間 ¥ 常設展は一般200円、小・中学生100円、市内の中学生以下は無料、障がい者手帳の提示で本人と同伴者1名が無料 しなの鉄道田中駅から徒歩15分 上信越自動車道東部湯の丸ICから2分

08
yamanashi
山梨県

日本を代表する山岳写真家の作品を多数展示

南アルプス山岳写真館《ミナミアルプスサンガクシャシンカン》・白籏史朗記念館《シラハタシロウキネンカン》

山梨県大月市出身で、国内各地のほか、アルプスやヒマラヤ、カラコルム、アンデスなどで撮影を行った日本を代表する山岳写真家、白籏史朗の作品を展示する写真館。

展示作品は約50点に及び、イキイキと描かれる美しい高山植物、ライフワークとして特にこだわった迫力ある南アルプスの山々の様子、刻一刻と変わりゆく山の表情の写真などを、山小屋風の展示室でゆっくり鑑賞できます。

施設は、日本で一番人口が少ない町、早川町の「奈良田の里」内にあります。運

緑に囲まれた山小屋風のギャラリー。
四季折々の魅力の中でも秋の紅葉はひときわ見事です。

営する古民家カフェ鍵屋は築200年ともいわれ、早川町全域が含まれる南アルプスユネスコエコパーク（生物圏保存地域）ステーションとなっています。カフェではジビエ料理や地元の新鮮な食材を使うメニュー、昔ながらの素材をアレンジした自家製スイーツなどが楽しめます。

「奈良田の里」には源泉掛け流しの温泉施設や早川町歴史民俗資料館も。山と共にある人々の暮らしをめぐり、自然の中ですごすひとときを満喫できます。

human

「山岳写真」の第一人者

写真家を目指して岡田紅陽（p.132）に弟子入り。独立後は１年の大半を山ですごして日本国内の名峰はもちろん、ヒマラヤをはじめとする世界の山々の写真を撮影。中でも南アルプスの写真が多く、高い評価を得ています。日本写真協会賞ほか、国内外の数々賞を受賞。写真教室の開催、写真技術に関する著書なども多数遺しています。

1 推定18世紀後半に建造された古民家をリノベーションした鍵屋。食材から皿やフォークなども地元産の木材を使用。 2 写真はえごまのチーズケーキ。昔ながらの製法でつくられる無添加の白鳳味噌が、ケーキやパスタソースなどにも使われています。 3 鹿肉にスパイスをたっぷり効かせた定番のトマト煮は人気のひと品。

表情豊かで迫力満点の山の写真を間近で見ることができます。

DATA

〒南巨摩郡早川町奈良田486「奈良田の里」内 ☎0556-20-5556 🌐www.town.hayakawa.yamanashi.jp/tour/spot/natural/portrait-studio.html 🕒10:00〜16:00（入館は15:30まで） 休 水曜日（祝日の場合は翌日）、年末年始 ¥ 大人600円、小・中学生 300円（早川町歴史民俗資料館との共通券） 🚉JR下部温泉駅からバスで70分、徒歩15分 🚗中部横断自動車道下部温泉・早川ICから50分

千円札でもおなじみ、富士山写真の先駆者の原点

岡田紅陽写真美術館《オカダコウヨウシャシンビジュツカン》

1 周辺には忍野八海（おしのはっかい）など自然豊かな観光地も。
2 「小池邦夫絵手紙美術館」との共有スペースでは企画展やイベントなども。

岡田紅陽は「富士こそわがいのち」という言葉を残したほど富士山を愛し、その撮影に心を燃やした写真家でした。その名を知らない人でも、彼の写真を題材にしたモチーフは一度ならず見たことがあるはず。千円札にあしらわれている富士山の絵柄も、岡田の作品〈湖畔の春〉をもとにして描かれたものです。

１８９５年、新潟に生まれた岡田が富士山の魅力に目覚めたのは早稲田大学に進学後の１９１６年、山梨県忍野村でのこと。そしてその忍野村で彼の作品を展示しているの

ここ忍野村で、最も多くの富士山を撮影しました。

3 レトロなカメラ。 4 富士山を「富士子」と呼び「一枚として同じ富士山は撮影していない」と。

が、岡田紅陽写真美術館です。

美術館は四季の杜おしの公園の中にあり、小池邦夫《こいけくにお》絵手紙美術館が併設されています。

展示のメインは、忍野村をはじめ山梨県内で撮影されたものと、静岡県などから撮影されたもの、計50点ほどの富士山の写真。そのほか、岡田愛用のカメラや、親交のあった文人、芸術家たちの作品などを見ることができます。

日差しが降り注ぐサロンでは、映像や蔵書を観ながらのんびりすごすことができます。その窓からは、もちろん富士山が！

岡田紅陽が生涯をかけて写真におさめた姿と、雄大にそびえる現在の姿、どちらの富士山もゆっくりと味わいたい落ち着いた空間です。

works

海外でも注目された作品

岡田紅陽の作品が評価されたのは、国内に限ったことではありません。関東大震災直後の被害の様子や、日本全国の国立公園の風景を撮った写真は海外からも注目を集めました。「富士写真協会」や「日本観光写真連盟」などの設立にも携わっています。日本一の山を愛した彼は、自身もまた日本を代表する写真家のひとりでした。

掲げられた富士山の撮影地図を見ると、なぞって撮影したくなるかも。

DATA

南都留郡忍野村忍草2838-1 0555-84-3222 shikinomori.webcrow.jp 10:00～17:00(入館は16:30まで) 休 火曜日（祝日の場合は翌日、7・8月は無休）、年末年始（12月28日～1月1日）、臨時休館日（展示替え、祝日の翌日） ¥ 一般500円、中・高校生300円（小池邦夫絵手紙美術館との共通券）、小学生以下は無料。障がい者手帳の提示で無料、車イス利用者と介助者1名無料。 富士急行線富士山駅からバス15分 東富士五湖道路山中湖ICから10分

10
gunma
群馬県

世界の屋根14峰に挑んだ稀代の登山家、夢の軌跡

山田昇ヒマラヤ資料館《ヤマダノボルヒマラヤシリョウカン》

２０１２年５月、竹内洋岳《たけうちひろたけ》が日本人で初めてヒマラヤ８０００メートル峰14座の全山登頂に成功しました。これは39歳で厳冬のマッキンリー（現・デナリ）に散った山田昇の夢でした。

山田チームの遭難を知った時、日本ヒマラヤ協会の会長は「今後20年は、14座を極める日本人は出ないだろう」と語ったといいます。その言葉どおりに、彼らの死から23年後の偉業達成。山田 昇がどれだけすごい登山家だったのかが窺えます。

そんな彼の記念館は、生家

今でも使っていそうな状態の山の道具、新聞記事や書籍、笑顔の写真など。
生きた軌跡がはっきり遺る、遺そうという意志を感じさせられる空間。

である谷川岳を望むりんご縁の中にあり、石碑には「情熱さえあれば、努力さえすれば、山登りほど自分の夢をかなえてくれるスポーツはほかにない」という言葉が。

資料館の中には、本人が実際に使っていた道具やウェア、靴などが自然な状態で展示されています。新聞記事や書籍、写真も豊富。勢いの良い直筆文字や、仲間との交流の記録などからは、その数々の偉業と共に愛された人となりや、登頂への情熱が伝わってくるようです。

memo

8000m峰14座

標高 8000m を超える山は 14 座。ヒマラヤ山脈とカラコルムに集中しています。空に一番近い場所といわれる 8000m 峰と総称される山々は、登山家にとって特別な存在。すべてに登頂を果たした者は 14 サミッターと呼ばれます。山田 昇は 9 座を達成して遭難死。2012 年に達成した竹内洋岳が、現在日本唯一の 14 サミッターです。

1 生家である「山田りんご園」の一角に建つ資料館。近い将来、沼田市が開設する山岳資料館に移され、この資料館はクローズとなる予定（時期は未定）。 2 愛用の山道具や愛読書などが遺されています。 3 マッキンリー遭難時に身につけていたウェアと装備。

極限での笑顔がまぶしい写真も数多く展示。足跡を伝える新聞記事の量からも、山田 昇への注目度の高さが窺えます。

DATA

沼田市久屋原町128 0278-23-0503 takusorchard.com/himaraya/himaraya.html 8:00～17:00 休 要事前確認 ¥ 無料 JR沼田駅からバスで20分、徒歩5分 関越自動車道沼田ICから5分

11
kanagawa
神奈川県

3代続く写真家こだわりの私設美術館

箱根写真美術館《ハコネシャシンビジュツカン》

箱根登山鉄道・強羅《ごうら》駅からケーブルカー沿いに歩くこと5分。箱根に生まれ育ち、在住する写真家・遠藤《えんどう》 桂《かつら》による私設美術館があります。

風景写真家の祖父と営業写真を専門とする父を持ち、生まれながらに写真と密接な関わりをもってきた遠藤 桂は、写真家を天命の仕事とし、ライフワークとして富士山を撮り続けています。

富士山とゆっくり対峙し、自然の声を聴く。その中で経験によって導かれた感覚で撮影することで、幻想的な独自の世界観が生み出されます。

ぬくもりを感じさせる展示室でさまざまな表情の富士山に出会えます。

長年愛用の中判ハッセルブラッドカメラやデジタルカメラの他、大型カメラやフィルムへの思い入れも強く、現在では貴重になった大判フィルムのダイレクトプリント作品も常設展示。大判パネルでフィルムの味わいが楽しめます。

常設展に加え、企画展や写真教室も開催。パリでも2003年より富士山作品を定期的に発表するなど精力的に活動しています。写真ファンや富士山好きのリピーターが好んで訪れるというのもうなずけます。

memo

建物にもカフェにもこだわりが

モンブランの頂をイメージしたシャープな外観と天然檜を多用した外観。展示壁面と天井には、韓国で用いられる伝統的な手すきの韓紙を用いて、温かみのある空間に仕上げています。館内にはフランス・リッツホテルで学んだパティシエールがお菓子を提供するカフェも併設。静かでおいしい箱根時間をすごすことができます。

1 被写体にも撮る過程にもこだわって作品を生み出します。 2 手作り感あふれるカフェのメニューは、フランス・リッツホテル仕込みの味。 3 祖父、父から受け継ぐカメラと写真の技術を富士山の撮影に捧げる遠藤 桂。

戦前から開発された歴史ある別荘地の一角に、ひっそり佇むおしゃれな建物。美術館と気づかずに通り過ぎてしまいそうな、周囲に溶け込む佇まい。

DATA

足柄下郡箱根町強羅1300-432 0460-82-2717 www.hmop.com 10:00～18:00(入館は17:00まで) 休 火曜日 ¥ 大人500円、小・中学生300円、未就学児童無料 箱根登山鉄道強羅駅から徒歩5分、箱根登山ケーブルカー公園下駅から徒歩1分 小田原厚木道路小田原西ICから40分

12
shiga
滋賀県

多くの分野で活躍した探検家の功績を一堂に

西堀榮三郎《ニシボリエイザブロウ》記念《キネン》探検《タンケン》の殿堂《ノデンドウ》

記念館2階の探検家の殿堂。偉大な探検家たちの肖像画と功績を目にすることができます。

日本が初めて計画した、第1次南極地域観測隊の越冬の隊長や、真空管ソラの発明などで知られる、科学者・技術者・登山家の西堀榮三郎の記念館。現代の若者に、探検家が持っていたパイオニア精神や、創意工夫の心を伝えるべく、造られた施設です。

船のような形をした外観が非常に特徴的で、建物の東西の一部がふくらんでいるのは、榮三郎の型破りな行動のシンボルを表しているのだとか。また、外壁の打放しのコンクリートは、探検家たちの荒削りな未完成さを表現している

1 白い船のような特徴的な外観が目をひきます。 2 アデリーペンギンに出迎えられるように停泊する南極観測船「宗谷」。南極行きは彼にとって少年時代からの夢でした。 3 1階の西堀榮三郎記念室。科学者や登山家のほかに、経営コンサルタントの顔をもち、各分野でリーダーシップを発揮した多才さ、多くの人に親しまれ敬愛された人柄と生き方が偲ばれます。

といいます。

1階は西堀榮三郎記念室で、東京・大田区鵜の木にあった西堀邸の「暖炉のある居間」が再現されています。第一次南極地域観測隊、越冬隊長としての活動、そして現・東芝で技術本部長を務めていた際の真空管の開発についてなど、さまざまな功績について、多くの詳細な資料をもとに紹介。奥にはミニ展示コーナーがあり、企画展などが行われます。

近世以降の日本人探検家50人を紹介する「探検家の殿堂コーナー」も見逃せません。ジョン万次郎や伊能忠敬の時代から、言語学探検の草分けである金田一京助、西堀を師と仰いだ植村直己など、前人未到の地に挑んだ人々の軌跡を伝えています。

また「体験による生きた知識」を得るための努力を続けた西堀のモットーを重んじ、来館者が実際に体験するメニューも用意されています。

さらには科学者やアーティストとの共催展示や企画展示を積極的に行うなど、分野を問わない知的好奇心を刺激する施設となっています。

1 長野・大町の写真館で撮影された、京大山岳部の仲間たち（西堀は右端）。1926 年頃、登山合宿後に撮影されたものといわれています。 2 各分野でリーダー的な存在として活躍した西堀は、多くの名言を残しています。

human

南極観測の礎を築いた多才人

1903 年生まれで、科学者・技術者・経営コンサルタント登山家などさまざまな顔を持つ西堀榮三郎。語学に堪能だったため、来日したアインシュタインに通訳として3日間同行したことでも知られています。「人間は経験を積むために生まれてきた」「とにかくやってみなはれ」などの名言は、現在でも語り継がれています。

ヒマラヤ山脈のマナスルが遠望できるネパール、カカニの丘に建つ西堀記念碑。記念館では、マナスルの登山許可を得るために交渉を重ねた彼の足跡を訪ねる映像を見ることができます。

DATA

〒東近江市横溝町419 ☎0749-45-0011 🌐e-omi-muse.com/tanken-n/index.html 🕒10：00～18：00（入館は17：30まで） 休 月曜日、火曜日、国民の祝日、年末年始 ¥ 高校生以上300円、小・中学生150円、東近江市在住者は無料 🚌近江鉄道八日市駅からバス20分 🚗名神高速八日市ICから10分

column
-19-

西堀榮三郎 探検者アルバム

さまざまな分野で記念碑的な足跡を刻んだ西堀榮三郎。記念館で見られる貴重な写真の一部を紹介します。

1 ネパールとインドの国境にあるカンチェンジュンガ山群の西峰、8505m のヤルン・カンに 1973 年、西堀を隊長として初登頂が成し遂げられました。 2 1922 年、19 歳の西堀榮三郎がアインシュタイン博士夫妻の通訳を務めた時の 1 枚。相対性理論に興味津々の日本に招かれたアインシュタイン博士夫妻は日本各地を 43 日間でまわり、そのうち京都・奈良での案内を英語が堪能だった西堀が任されました。 3 南アルプスの女王と呼ばれる百名山のひとつ、仙丈岳（3033m）に 18 歳で登頂。

1957 年に予備観測、58 年に本観測を行った第一次南極地域観測隊。西堀は越冬隊の隊長として参加。右は永田武総隊長。

13
wakayama
和歌山県

自然に学んだ「知の巨人」の自邸と仕事を公開

南方熊楠顕彰館《ミナカタクマグスケンショウカン》

19～20世紀に活躍した植物学者・南方熊楠の資料館。熊楠が生涯をかけて研究してきた菌類・藻類など、人文・自然科学についての多岐にわたる膨大な資料を保管・公開しています。

熊楠が後半生をすごした田辺市《たなべし》の邸宅内に遺されていた資料を収蔵し、貴重な蔵書や資料を含むその数は25000点以上にものぼります。

その中には熊楠がロンドン滞在時、大英博物館で毎日5～7時間をすごし、見聞きしたものを書き写した「ロンド

田辺市に遺贈された自邸、蔵書や遺品、草稿、標本などの資料を保存し、その成果を発信するための拠点として同館つくられました。

ン抜書」という52冊にもわたるノートも。
ロンドンのパブの様子を描いた「ロンドン戯画」というユニークな絵画、普段使用していた眼鏡やシガレットケース、研究道具などが含まれた展示の数々は見ごたえ十分。

熊楠の旺盛な好奇心や探求心、驚くべき博学ぶりを感じることができます。
併設で熊楠が晩年をすごした南方熊楠旧邸があり、熊楠の生活と研究の拠点であった空間で、熊楠の息遣いを感じることができます。

human

国内の植物学研究の第一人者

1867年、和歌山県に生まれた植物学者・南方熊楠。1886年に渡米し、各地で採集した植物を研究。その後英国に渡り、大英博物館に迎えられてからはさまざまな論文を発表し、世界各国にその名をとどろかせた。多才なことで知られ、日本民俗学の父といわれた柳田国男から「日本人の可能性の極限」と評価されていたことでも有名。

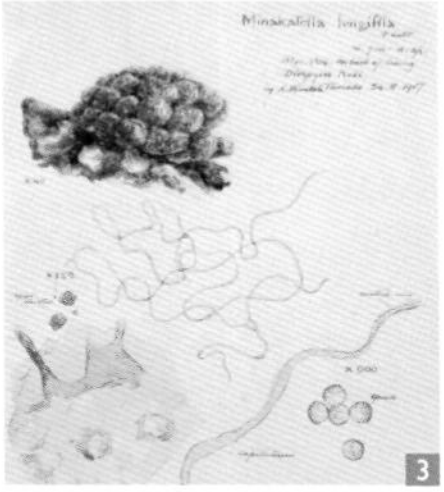

1 熊楠の仕事場を再現・保存している私邸の書斎。 2 大英博物館の資料を書き写した「ロンドン抜書」。 3 自宅の柿の木で発見した変形菌「ミナカテラ・ロンギフィラ」の図。

森永ミルクキャラメルの箱を標本箱として愛用。

登録有形文化財である邸宅の主屋。最晩年25年間の研究の場でした。

DATA

田辺市中屋敷町36 0739-26-9909 www.minakata.org 10：00～17：00(入館は16：30まで) 休 月曜日、第2・4火曜日、祝日の翌日(土・日、休日を除く)、年末年始(12月28日～1月4日) ¥ 無料 JR紀伊田辺から徒歩9分 阪和自動車道南紀田辺ICから5分

熊楠が研究した生きた粘菌が観察できる唯一の施設

南方熊楠記念館《ミナカタクマグスキネンカン》

1 熊楠の功績や人となりを示す展示。 2 在野の学者に徹した彼の活動・研究は、その全容が今も解明されないほど膨大です。

前出の植物学者・南方熊楠の業績を紹介する記念館。こちらでは800点余りの遺品や遺稿が展示されています。

館内に入ってまず目に飛び込んでくるのは、建物の中心からつり下げられた筒状のオブジェ（ランタン）。天井から太陽光が降り注ぐ、明るく開放感のある空間です。

さまざまな展示品の中でも、最大の見どころは、熊楠が昭和天皇に御進講したことで有名な「粘菌（変形菌）」。実際に、生きている粘菌の様子を、顕微鏡で見ることができるのはこの施設だけです。

白浜半島の突端、番所岬。
自然から学ぶことをモットーとした熊楠の記念館として、周辺環境も素晴らしいもの。

3 熊楠の研究を支えた愛用の顕微鏡。4 屋上デッキからの眺望もお見逃しなく。

そのほか、多才なことで知られ、生物学者、民俗学者としても活躍した南方熊楠の功績がよくわかる展示が数多くなされています。

2階の展示室前小ホールには、熊楠が記した7・7mの長さに及ぶ「世界一長い履歴書」の展示が。巻紙に細かい文字でびっしりと経歴が書かれている様を見ることができます。

さらに、屋上には素晴らしいロケーションを活かした展望デッキがあり、来館者を楽しませています。360度の展望は田辺湾、神島《かみしま》、円月《えんげつ》島《とう》、白浜温泉街、遠くは四国まで眺望可能。スケールの大きな生き方を貫いた熊楠の記念館にぴったりです。

5 森永キャラメルの箱を標本箱として愛用し、昭和天皇にもキャラメル箱の標本箱を差し出しました。6 江戸時代に出版された『和漢三才図会』は南方少年にとって最大の愛読書。8歳頃から筆写をしていました。

24歳当時の写真。10数ヶ国語を自由に使いこなして精力的に研究・発表を続け「日本にミナカタあり」といわれました。

DATA

〒西牟婁郡白浜町3601-1 ☎0739-42-2872 www.minakatakumagusu-kinenkan.jp 9：00～17：00(入館は16：30まで) 休 木曜日、6月28日～30日、年末年始(12月29日～1月1日)、7月20日～8月31日は無休 ¥ 高校生以上600円、小・中学生300円 JR白浜駅からバス20分、徒歩8分 紀勢自動車道南紀白浜ICから20分

子どもの冒険心を育てるのはもちろん、大人だってチャレンジ精神が刺激される遊具がたくさん。思う存分ワクワクに挑戦できます。

15
hyogo
兵庫県

偉大な冒険家の魂にふれ、冒険や宿泊ができる体験型施設

植村直己冒険館《ウエムラナオミボウケンカン》

世界で初めて五大陸最高峰の制覇を成し遂げた冒険家・植村直己の偉業を伝える資料館。本館の外観は、構造物の大半が地中にあるユニークなデザインとなっており、1996年日本建築学会賞を受賞しています。

2021年4月、生誕80周年を記念してリニューアルオープンし、従来の展示に加えて、ますます好奇心を刺激する内容、取り組みが盛り込まれました。

植村直己が登山中に実際に着用していた登山靴や装備品の展示はそのままに、足跡を

1 ガラス張りで円形の「どんぐりbase」には陽光がふんだんに差し込みます。周囲に吊るされたオレンジのロープは、登る気持ちよさ、楽しさを体験できるツリーイング。 2 3 4 植村直己のスピリットを伝える展示コーナー。使い込まれた、けれど大切に使われていたことが窺われる道具たちには、北極点、南極など、それぞれ使用された場所が記され、冒険のスケールの大きさを感じさせます。

たどるパネルや資料がさらに充実し、冒険の軌跡や生き方を振り返ることができます。クライミングウォールや犬ぞり、テントにふれて、冒険を疑似体験できるコーナーもあります。

「言葉の宇宙・植村直己スピリットコーナー」では、彼が遺した名言の数々と、その名言にインスピレーションを得たイラストレーター・黒田征《くろだせい》太郎《たろう》の作品を展示しており、見逃せません。

夢と情熱にあふれ、やってみたいことを想像する。そんな彼の生き方にならい、さまざまなことにチャレンジする人や、子どもたちを応援する活動も行っています。

子どもたちの挑戦する心をはぐくむ施設として、冒険館に隣接してオープンした「どんぐりbase」では、自然に囲まれた自由なフィールドでツリーイングやたき火を楽しむことができます。関西初の泊まれる博物館として、館内にポップアップテントを立てて泊まることも可能。ネット遊具やボルダリングの夜間利用もでき、ナイトミュージアム体験もできます。

1 故郷である緑豊かな地に建つ冒険館。「どんぐりbase」と展示スペースは長い通路で結ばれています。 2 冒険心を掻き立てられる掲示物が館内のあちこちに。 3 大人は童心に帰って、子どもたちは初めての体験にワクワク。林の中には24種のアスレチックも。

human

世界初の五大陸最高峰登頂者

1941年生まれの植村直己は、1970年、エベレストに日本人として初めて登頂。同年、マッキンリー山（現・デナリ山）の登頂を果たし、世界初の五大陸最高峰登頂者に。犬ぞりによる北極圏1万2000キロ走破など、さまざまな功績で知られますが、デナリ山の冬季単独登頂に成功した翌日、下山中に遭難。遺体は依然見つかっていません。

博物館に泊まれる貴重な「ぼうけんステイ」。テントを張った宿泊からBBQ、遊具の夜間利用やナイトミュージアムも楽しめます。

DATA

〒豊岡市日高町伊府785 ☎0796-44-1515 🌐www.boukenkan.com 🕘9:00～17:00(入館は16:30まで) 休 水曜日(祝日の場合は翌日)、年末年始(12月29日～1月3日) ¥ 高校生以上550円、3歳～中学生330円(展示館のみ)　※小学生以下は保護者の付添が必要 🚉JR江原駅からバス10分 🚗北近畿豊岡自動車道日高神鍋高原I.Cから5分

column
-20-

冒険者の足跡②

冒険における偉業とは何を指すのか。明確な答えはないでしょう。それでも挑戦する人々が意識するかしないかにかかわらず、記録やタイトルというものはついてきます。日本人が達成してきた偉業と呼ばれる足跡には、畏怖の念や、夢とロマンを感じるでしょう。

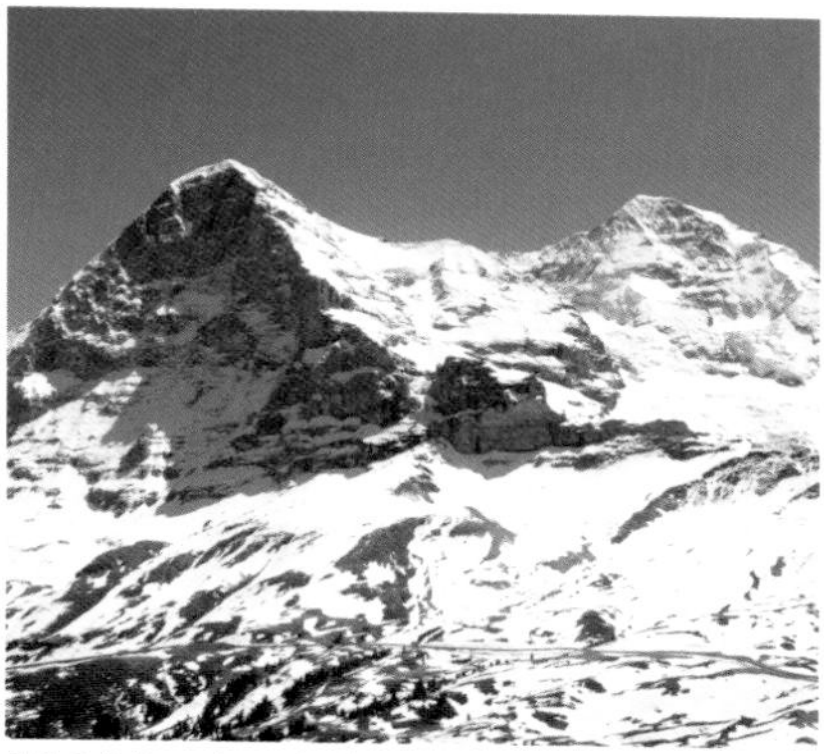
日本の名がついたルートがあるアイガー北壁。

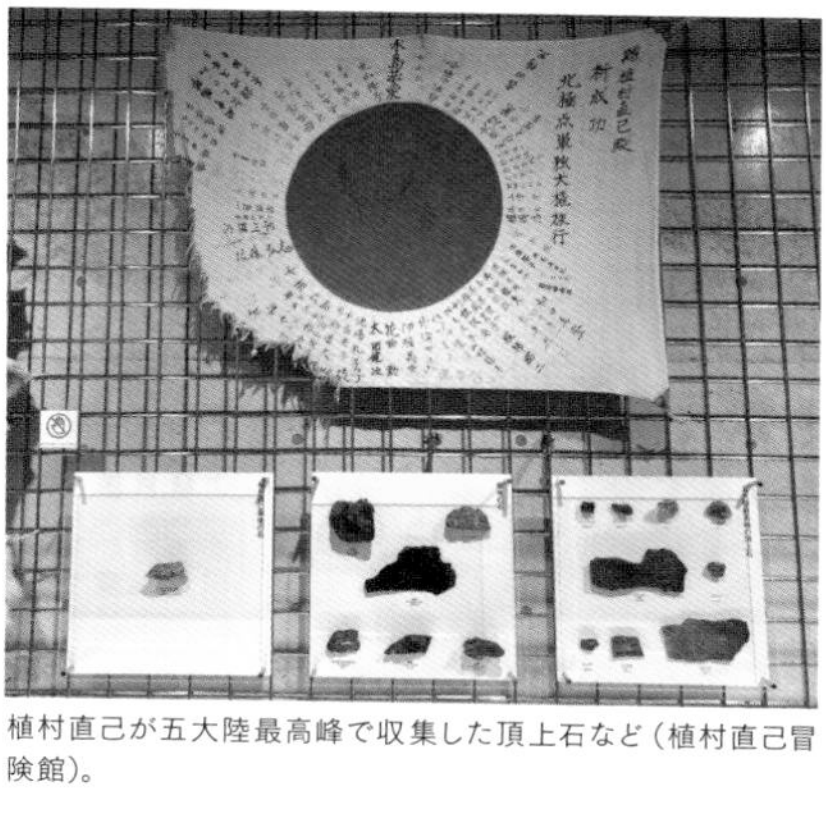
植村直己が五大陸最高峰で収集した頂上石など（植村直己冒険館）。

世界に夢やロマンを与えて

2012年、日本人初の14サミッターとなった竹内洋岳（p.135）は記憶に新しいところ。その他、記憶に残る存在となった冒険者たちの偉業や記録はさまざまです。

たとえば1969年、6人の日本人メンバーがアイガー北壁に新ルートを開拓したことは世界の登山界の話題になりました。「赤い壁」と呼ばれる難所を通る「Japaner Direttissima（日本直登ルート）」と名付けられています。

また、現在のところ、エヴェレスト登頂の最高齢は三浦雄一郎（当時80歳）。探検家グランドスラム（七大陸最高峰登頂と北極点・南極点到達）の最年少は南谷真鈴（当時20歳）。日本には世界的な記録者が数多くいます。

- 植村直己……世界初、五大陸最高峰登頂。日本人初、エヴェレスト登頂
- 田部井淳子……女性初、エヴェレスト登頂。女性初の七大陸最高峰への登頂
- 長谷川恒男……世界初、アルプス北壁の冬季単独登攀
- 今井通子・若山美子……女性だけのパーティーで初、マッターホルン北壁登攀
- 平出和也……登山会のアカデミー賞といわれるピオレドール賞（黄金のピッケル賞）を日本人初・最多3回受賞

16
hyogo
兵庫県

山を愛した「マンガの神様」のルーツとメッセージ

宝塚市立《タカラヅカシリツ》　手塚治虫記念館《テヅカオサムキネンカン》

２０２０年７月、山岳の専門雑誌などを手掛ける山と渓谷社から、『手塚治虫の山』というアンソロジー作品が出版されました。手塚治虫の作品から、山を舞台にした10編を載せたものです。マンガを通して「自然への愛」、「生命の尊さ」を描き続けた手塚は、山を好んで題材に選びました。

　手塚治虫記念館は、彼が5歳から24歳までをすごした兵庫県宝塚市に建てられています。当時の宝塚市は豊かな自然とモダンな文化が共存する地域で、後の作品に大きな影

火の鳥が出迎える記念館。山を愛し自然を愛した
手塚治虫の心に思いを馳せて、展示を楽しんでください。

響を与えました。記念館には、当時の宝塚市のジオラマや若かりし頃の写真などが展示され、彼のルーツを垣間見ることができます。

その他、さまざまな手塚作品をモチーフにしたスペースや、本人のインタビュー動画、アニメ制作が体験できる「アニメ工房」など、手塚ワールドを満喫できる展示が目白押しです。

館のシンボルは、ガラス製の地球のオブジェ。エッセイで発表した『ガラスの地球を救え』に因んだものです。

works

山を描いたアンソロジー

『手塚治虫の山』（ヤマケイ文庫）に掲載されているのは、1959年から82年にかけて、さまざまな媒体に掲載された作品です。山の自然の厳しさ、登山家同士の連帯、山に生きる動物の命や人間の暮らしなど、描かれている題材は多様ですが、どれも根底には、自然を敬愛し生命の尊厳を重んじる手塚の精神が流れています。

1 おなじみの作品も、知らなかった作品も。展示の仕方も楽しい。
2 エントランスからワクワクが止まりません。 3 『手塚治虫の山』（上記コラム参照）のほかにも、『森』『動物』などの自然シリーズが。

©手塚プロダクション

アニメ制作に挑戦できるアニメ工房。

DATA

〒宝塚市武庫川町7-65 ☎0797-81-2970 🌐www.city.takarazuka.hyogo.jp/tezuka 🕘9:30～17:00(入館は16:30まで) 休 水曜日(祝日・春休み及び夏休み中は開館)、年末(12月29日～12月31日) ¥ 大人700円、中・高校生300円、小学生100円、身体障がい者手帳、療育手帳、精神障がい者保険福祉手帳を提示で無料。60歳以上の宝塚市民無料（要証明書提示） 🚉阪急宝塚南口駅から徒歩7分 🚗中国自動車道宝塚ICから5分

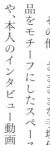

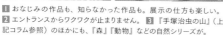

17
hyogo
兵庫県

山に関する書物を多数所蔵する美しい図書館

加藤文太郎記念図書館《カトウブンタロウキネントショカン》

「不死身の加藤」と呼ばれた登山家の愛用品。
創意工夫を重ねた独自の登山スタイルなどを知ることができます。

新田次郎著『孤高の人』の主人公としても知られる、兵庫県出身の登山家・加藤文太郎を顕彰して建てられた町立図書館。

建物の外観は、北アルプスの嶺をイメージしたものです。館内は全体的に柱のない広々とした空間になっていて、開放感にあふれた造り。中央が吹き抜け構造で、天井から降り注ぐ光も自然との一体感を感じさせてくれます。

建設にあたっては、彼が駆け巡った山々をイメージしたとされ、書架のサインや階段など、さまざまな箇所に山の

1 山並みをイメージした外観。図書館1階の受付では、マフラータオルやTシャツなどの加藤文太郎グッズの発売も行なっています。 2 愛用のスキー。本人にとっては好きなことを突き詰めていただけでも、その結果、山歩きやスキーを一般の人々が楽しめるものにした功績は偉大です。 3 30歳で亡くなった加藤文太郎ですが、驚くほど多くの記録が残っています。

イメージやモチーフが使われています。

1階は約3000冊の蔵書を有する一般的な図書館ですが、2階の「加藤文太郎山岳資料室」と「山岳図書閲覧室」は、山岳図書が約3600冊も揃う山好きにはたまらない空間。

また、本人が実際に着用していた登山靴やストック、山岳写真や記念の絵ハガキ、アザラシの毛皮といった遺品や資料の展示しています。

一般の図書館としても充実の内容ながら、やはり加藤文太郎の軌跡を訪ねて遠方から訪れる人も多い施設です。

仕事をしながら夜間高校に通う中、仕事仲間と共に夢中になった地図遊び。それが稀代の登山家へのはじまりでした。やがて山頂の三角点をめざすことに熱中。大正時代には、休日の趣味やスポーツとしての山登りはまだ認知されておらず、社会人登山家という文化を生み出したのは彼だといわれています。

日本の一般登山の歴史そのものともいえる軌跡。見応えのある展示に、山へのさらなる興味を駆り立てられそうです。

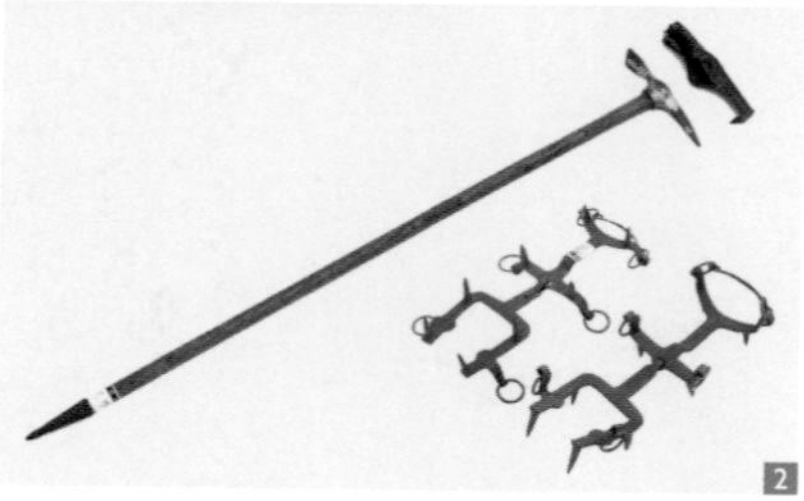

1 本人が書き遺したもの以外にも、文太郎をモデルにした作品が多数。 2 山歩きに欠かせないピッケルやアイゼンをはじめ、実際に使っていた道具類も豊富。

human

国宝級と称された伝説の登山家

1905年兵庫県生まれの登山家・加藤文太郎。装備に多額の資金が必要な高級スポーツだった登山を、ありあわせの地下足袋でこなし、社会人登山家の先駆けと呼ばれました。また「単独行」にこだわり、その稀有な存在と精神力から、国宝級登山家と称されされ。新田次郎著『孤高の人』をはじめ多くの山岳作品のモデルとなっています。

1932年1月26日、蘇武岳頂上で。文太郎は左から2人目。

DATA

〒美方郡新温泉町浜坂842-2 ☎0796-82-5251 🌐www.katobun.library.town.shinonsen.hyogo.jp/ 🕒10:00～18:00(土・日曜は17時に閉館) 休 木曜日(祝日の場合は翌日)、第3火曜日 ¥ 無料 🚉JR浜坂駅より徒歩5分 🚗舞鶴若狭自動車道春日ICから1時間50分

column

-21-

加藤文太郎 冒険者アルバム

数多く遺る記事や資料は、突出した登山家としていかに注目されていたかを物語るもの。記念図書館には、そんな興味深い資料が揃っています。

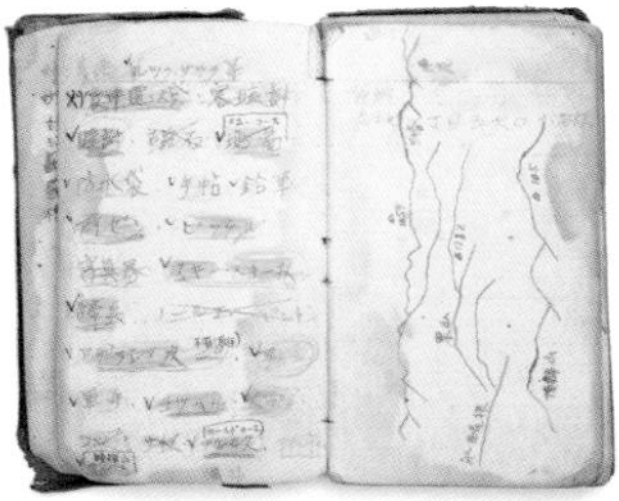

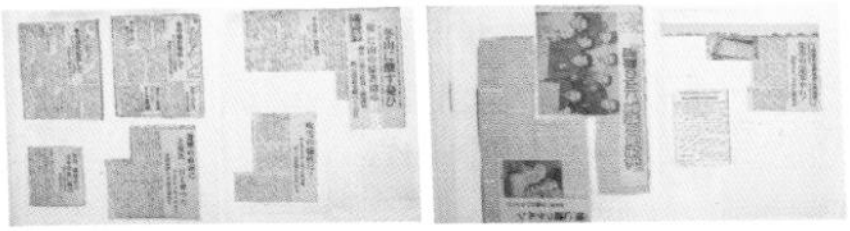

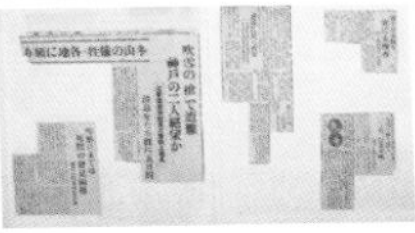

加藤に関する小説や記事、自筆のメモなど。遭難時からの新聞記事は、鎮魂までの時系列が生々しい。

愛用品の数々。各地で絵葉書も集めていたそうです。

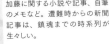

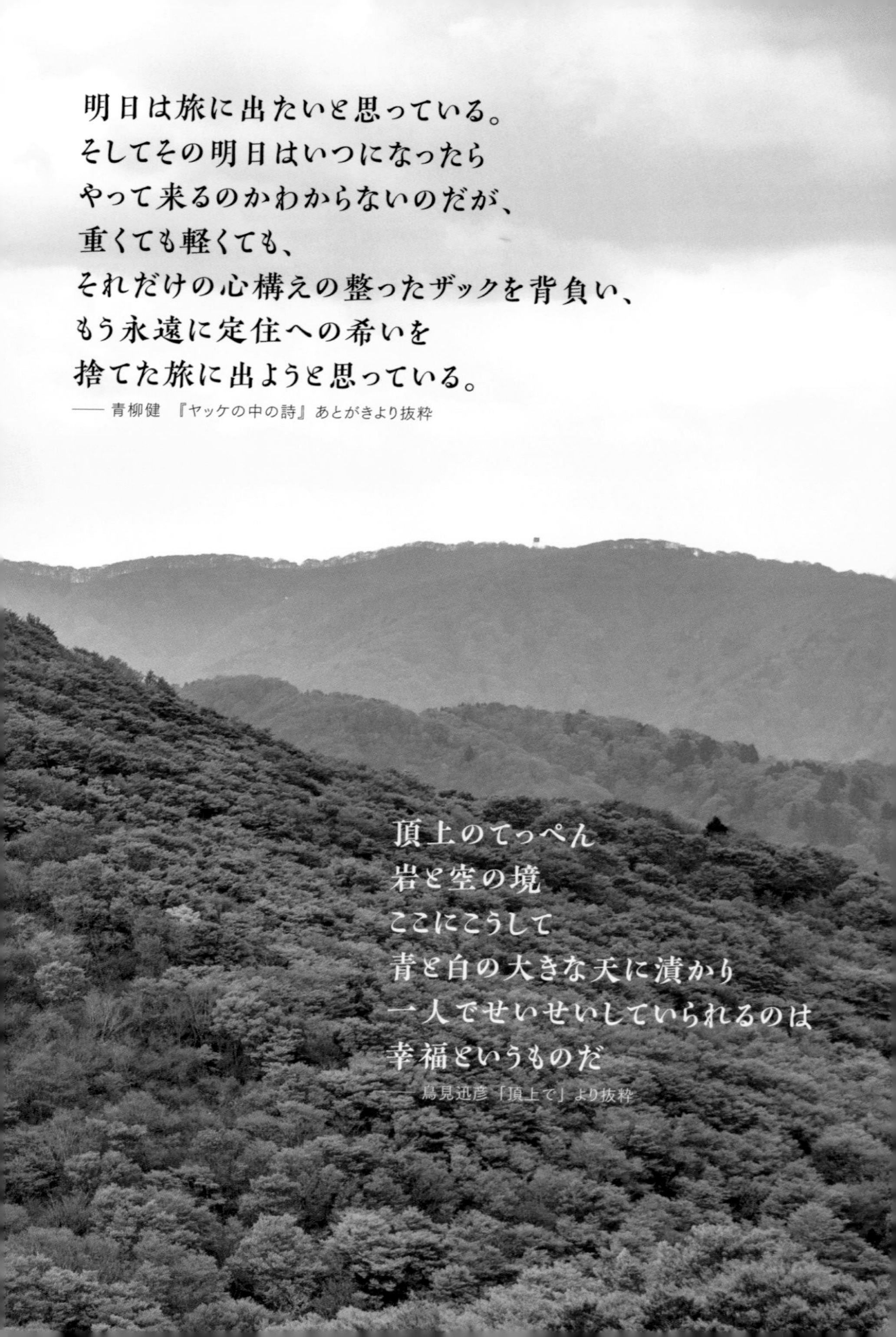

明日は旅に出たいと思っている。
そしてその明日はいつになったら
やって来るのかわからないのだが、
重くても軽くても、
それだけの心構えの整ったザックを背負い、
もう永遠に定住への希いを
捨てた旅に出ようと思っている。

―― 青柳健　『ヤッケの中の詩』あとがきより抜粋

頂上のてっぺん
岩と空の境
ここにこうして
青と白の大きな天に漬かり
一人でせいせいしていられるのは
幸福というものだ

―― 鳥見迅彦「頂上で」より抜粋

何でもないやうなこの山山
これがわが修行の邪魔をする
望郷の念といふを起こさせる
これではいけないと思ふのに
どうにもならないわが心

―― 井伏鱒二　『仲秋の明月』「山の図に寄せる」より抜粋

刻まれた暗い歴史に
白樺の肌は深く
山と花との世界観に
僕はすべての濾過を願っている

―― 谷川俊太郎「山荘だより 2」より抜粋

撮影：馬場茂　赤坂山

いつか行きたい
必ず行きたい

GB めぐりシリーズ

好評発売中！

動物園・水族館

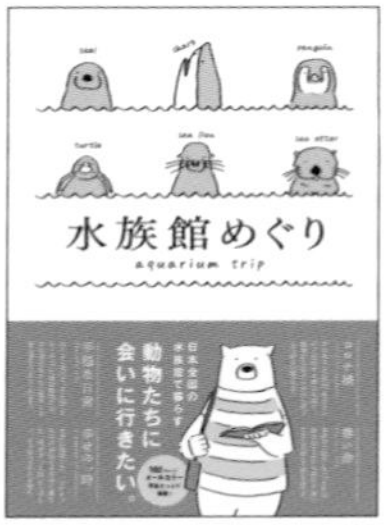

水族館めぐり

動物園めぐり

日本全国の動物園・水族館で暮らす動物たちに会いに行こう！
192ページオールカラー、動物たちの微笑ましい写真をたっぷり掲載。

各：本体 1680円+税

本屋さん

東京 わざわざ行きたい
街の本屋さん

めぐる数だけ、発見がある。そんな
本屋さんを130軒収録しました。

著：和氣正幸
本体 1600円+税

全国 旅をしてでも行きたい
街の本屋さん

北海道から沖縄まで、旅先で
出合える素敵な本屋さん185軒。

本体 1600円+税

全国 大人になっても行きたい
わたしの絵本めぐり

本屋、図書館、美術館など、
絵本がある素敵な場所をめぐる旅。

本体 1680円+税

美術館

東京のちいさな
美術館めぐり

こだわりの106館を美しい写真と
ていねいな解説でご案内。

著：浦島茂世
本体 1600円+税

企画展だけじゃもったいない
日本の美術館めぐり

常設展にこそ個性が詰まっている。
もっと気軽に楽しみませんか。

著：浦島茂世
本体1600円+税

建築でめぐる
日本の美術館

建築もアートとして鑑賞できる
名建築ミュージアムを90軒紹介。

著：土肥裕司
本体 1680円+税

神社・お寺

神々だけに許された地 秘境神社めぐり

自然と神々の息吹にふれられる
全国の聖なる秘境を訪ねます。

著：渋谷申博
本体 1600円+税

日本のお寺・神社 絶壁建築めぐり

なぜ、こんなところにあるの!?
断崖や洞窟にそびえる懸造り100選。

著：飯沼義弥
本体 1600円+税

全国 天皇家ゆかりの神社・お寺めぐり

神武の御代から令和まで──
天皇家ゆかりの神社・寺を訪ねます。

著：渋谷申博
本体 1600円+税

東京あるき

東京 着物さんぽ

着物を着て散歩するのにぴったりの
レトロ&モダンな街を案内。

著：きくちいま
本体 1600円+税

東京 わざわざ行きたい 地元の揚げもの屋さん

コロッケ・メンチ・から揚げetc.
東京の揚げもの屋さんを集めました。

本体1600円+税

東京 わざわざ行きたい 街の文具屋さん

老舗の画材屋や輸入文具店など、
東京の文具屋ワンダーランド!

著：ハヤテノコウジ
本体1600円+税

ローカル

全国 むかし町めぐり

歴史ロマンの風情漂う街並み──。
全国65か所、時空を旅しよう。

本体 1680円+税

京都のちいさな美術館めぐりプレミアム

京都ゆかりの作家・名画、和風建築
etc.こだわりの美術館90軒を掲載。

著：岡山拓、浦島茂世
本体 1600円+税

甲州・信州のちいさなワイナリーめぐりプレミアム

飲める、買える、体験できる──
個性豊かな95ワイナリーを歩く。

本体 1600円+税

撮影：土肥裕司／美ヶ原高原牛伏山頂の御来光

全国 山の美術館と博物館

初版発行 2021年8月30日

発行人 坂尾昌昭
編集人 山田容子
発行所 株式会社G.B.
〒102-0072 東京都千代田区飯田橋4-1-5
電話 03-3221-8013（営業・編集）
FAX 03-3221-8814（ご注文）
URL https://www.gbnet.co.jp
印刷所 株式会社光邦

ISBN 978-4-910428-08-6

staff

撮影 土肥裕司、馬場 茂
写真 photoAC、photolibrary
執筆協力 小野結理、庄康太郎、鈴本 悠、平野ゆかり、松下梨花子
イラスト地図制作 マップデザイン研究室
編集 稲佐知子
校正 東京出版サービスセンター
企画・営業 峯尾良久、長谷川みを（G.B.）
カバーデザイン 山口喜秀（Q.design）
デザイン 別府 拓、深澤祐樹（Q.design）
DTP G.B. Design House

表紙 富岡市立妙義ふるさと美術館
裏表紙 千畳敷カール